Collection

Je coche les Mon BiG d'moi que j'ai lus.
fanny
Ninja KID
Mimi MOUSTACHE
Les ZOZOS du SPORT
Lolita STAR
SCARLETT 007
Marilou Addison
Geneviève Guilbault
Les aventuriers des jeux VIDÉO
Fidji
Les secrets sucrés de Lolly POP
Gigi

Catalogage avant publication de Bibliothèque et Archives nationales du Québec et Bibliothèque et Archives Canada

Addison, Marilou, 1979-

Lolita Star. Deux amies en plein tournage

(Mon BIG à moi)

Pour enfants de 8 ans et plus.

ISBN 978-2-89746-050-1

I. Petit, Richard, 1958- . II. Titre. III. Titre : Collection : Mon BIG à moi.

PS8551.D336L643 2017 jC843'.6 C2017-940472-5

PS9551.D336L643 2017

Écrit par Marilou Addison

Illustration de la couverture : Richard Petit
Illustrations intérieures : Manuella Côté et Richard Petit

Création de la grille graphique : Richard Petit
Mise en pages : Julie Deschênes

Dépôt légal : Bibliothèque et Archives nationales du Québec, 3e trimestre 2017
ISBN 978-2-89746-050-1

Imprimé au Canada

Gouvernement du Québec – Programme de crédit d'impôt pour l'édition de livres – Gestion SODEC

Andara éditeur remercie la SODEC pour l'aide accordée à son programme éditorial.

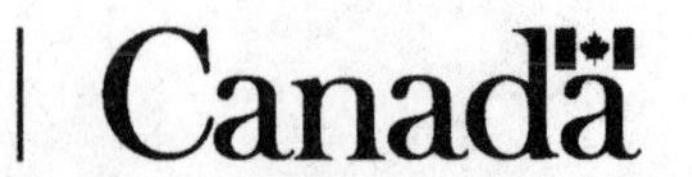

Lolita
No 3
STAR
Deux amies en plein tournage
Marilou Addison

chapitre 1

Un jet privé, une piscine chauffée et un atterrissage forcé !

Rosalie Sans-le-sou sort de la salle de bain, une serviette rose enroulée autour du corps. Elle frissonne, mais ce n'est pas de froid. En effet, il fait très chaud dans la pièce. Il faut dire que le jet privé dans lequel Rosalie et Lolita ont pris place possède TOUTES les commodités existantes !

À commencer par une salle à manger où Bernadette, la cuisinière dévouée de la jeune vedette, prépare mille et une collations destinées aux deux filles. Il y a aussi un cinéma maison, où elles peuvent écouter le film de leur choix. (Même ceux qui ne sont pas encore au grand écran !) Si on se dirige vers le fond

de l'appareil, une salle
conçue pour faire
de la gym les attend.
(Ainsi qu'un trampoline
ultra rebondissant !)

Mais le plus incroyable se trouve juste devant Rosalie : l'énorme, la gigantesque, l'éléphantesque, bref la vraiment BIG piscine creusée, chauffée et tout équipée ! Dans un coin, il y a même une longue glissade torsadée. De l'autre côté, toutefois, le tremplin de dix pieds effraie légèrement Rosalie.

À l'autre bout de la piscine (qui est trèèèès longue), Lolita Star attend sa meilleure amie, le corps à demi immergé dans l'eau.

Elle lui fait signe
de venir la rejoindre,
mais Rosalie hésite.
Malgré les cours de
sirène qu'elle a suivis,
il y a peu de temps,
elle ne se sent pas
encore très à l'aise
lorsqu'elle doit nager
dans un si gros bassin.

Pour l'encourager, Lolita décide de se percher sur le rebord de la piscine, puis elle empoigne son cellulaire. Rapidement, elle écrit un message à son amie.

Rosalie sursaute en sentant son propre cellulaire vibrer entre sa serviette et son maillot de bain. Elle l'attrape pour répondre au message de Lolita.

Pas du tout ! Elle est super bonne ! Regarde-moi bien, je vais plonger ! Tu pourras ensuite me donner une note.

La jeune vedette lâche son cellulaire, sort de l'eau et se dirige vers le plongeoir. Elle s'y installe tout au bout, les bras tendus

au-dessus de sa tête,
et se donne un élan
avant de se propulser
dans les airs. Lolita
effectue une pirouette,
puis elle retombe avec
grâce dans la piscine.
Sans produire la moindre
éclaboussure !

Impressionnée, Rosalie ne peut faire autrement que de lui donner un 10 ! Avec bonne humeur, elle soulève une pancarte avec le chiffre haut devant elle. Lorsque Lolita émerge de l'eau près de son amie, elle crie de joie en voyant sa note.

— Hourra ! À ton tour, Rosalie !

— Ah non...
Moi, je ne suis pas capable de plonger de cette hauteur.
Je n'aime pas grimper si haut, tu le sais bien.

— Tu n'as qu'à ne pas regarder vers le bas et tout va bien aller ! réplique Lolita.

— Mais si je ne regarde pas en bas, je pourrais tomber à l'extérieur de la piscine. C'est beaucoup trop dangereux !

— Bon, d'accord... mais va au moins essayer la glissade, alors !

Rosalie se tourne vers elle, mais elle ouvre grand les yeux en la contemplant. La glissade doit durer très longtemps, car elle est vraaaaiment longue ! De plus, une de ses parties est recouverte par un petit toit, ce qui lui donne une forme de tube et la rend assez effrayante...

Mais la jeune fille
n'a pas le temps de
s'inquiéter davantage,
car une main vient
de saisir la sienne
pour la tirer vers
la fameuse glissade.

Lolita, dégoulinante,
veut absolument
que Rosalie l'essaie.
Celle-ci se laisse
entraîner de mauvaise
grâce et grimpe à
la suite de son amie.

Arrivée en haut,
elle s'installe devant
le tube, hésitante.
Légèrement effrayée,
elle tourne la tête
vers Lolita pour lui
demander si elle ne veut
pas y aller en premier.

— Si tu veux
passer avant moi,
aucun problème,
commence Rosalie.
Je te cède ma place,
d'accooooooord ??!!!

Rosalie s'est mise à hurler. C'est que la jeune vedette lui a donné une solide poussée dans le dos pour qu'elle s'exécute enfin et cesse d'avoir si peur. Le cri de la jeune fille se répercute à l'intérieur du tube. Elle glisse d'un côté puis de l'autre à une vitesse folle. Vivement que ça se termine !

Pourtant, le plus étrange, c'est que la descente semble durer des heures ! Changement de direction à 90 degrés. Petit saut dans les airs. Oups, voici Rosalie qui pénètre dans un tunnel totalement sombre. Elle sent son cœur battre à un rythme dément dans sa poitrine !

Enfin, la clarté
lui apparaît au loin.
Et la voici qui débouche
tout en bas.

Rosalie plonge
dans l'eau de la piscine

les fesses en premier
et éclabousse tout ce
qui se trouve autour
d'elle. Elle a à peine
le temps de sortir la tête
que Lolita pénètre dans
l'eau à son tour et lui
asperge le visage.
Les joues rouges,
le souffle court, Rosalie
n'est pas au bout de
ses surprises, car dès
que son amie jaillit à
ses côtés, celle-ci s'écrie :

— Wow !
C'était génial !
On recommence ?!

— Ah non, une fois,
c'est suffisant pour moi.

— Voyons, Rosalie,
si tu ne t'habitues pas
à faire des cascades, tu
ne pourras jamais jouer
ma doublure dans mon
prochain film, tu sais…

Rosalie grimace. Oui, son amie a raison. Elle doit se resaisir et s'armer de courage. Après tout, si elle accompagne Lolita Star, c'est dans le but de faire des tas d'acrobaties dangereuses. Aussi bien débuter dès maintenant. C'est pourquoi elle finit par sortir de la piscine pour retourner une dizaine de fois dans la glissade.

Lorsqu'elle n'en peut plus, elle indique à Lolita qu'elle a besoin d'une pause. La jeune vedette vient la rejoindre et toutes les deux vont se réchauffer dans le spa ultra chaud situé dans une autre pièce. Vraiment, ce jet privé est sûrement le plus GRAND avion qui existe sur terre ! Ou plutôt, dans les airs !

Les filles s'immergent dans l'eau brûlante tout en admirant la vue qu'elles ont du ciel. Le spa est installé tout près de larges fenêtres scellées leur permettant d'observer le ciel et ses nuages. Lolita remue les pieds, un grand sourire éclairant son visage. C'est la première fois qu'elle invite une amie dans son jet et elle se rend compte qu'il est

beaucoup plus agréable de faire le trajet en bonne compagnie.
Ce qu'elle ne se gêne pas pour dire à Rosalie.

— Je suis tellement heureuse que tu viennes à Hollywood avec moi ! On va s'y amuser comme des folles ! J'ai hâte de te montrer ma maison. Tu sais, le manoir près de chez toi, ce n'est qu'un petit chalet de rien du tout. Ma vraie demeure est bien plus grande. À moins qu'on dorme à l'hôtel le temps du tournage...

— Tu es sérieuse ?! Un petit chalet ? Voyons, ton manoir est IMMENSE !!!

Lolita balaie l'air d'une main, peu encline à en discuter. Elle se contente de changer de sujet.

— Je t'ai raconté le scénario du film dans lequel nous allons jouer ?

Rosalie secoue la tête, prête à en entendre davantage.

— Bon, tiens-toi bien, parce que... ça va brasser !

— Qu'est-ce que tu veux dire par là ? demande Rosalie, en sentant justement l'avion se mettre à brasser dans tous

les sens, avant
de plonger… vers
l'océan qui se trouve
au-dessous d'elles !

— Oh, je crois que
c'est justement le
moment de se préparer.

— De se préparer
à quoi ??? s'énerve
Rosalie, en suivant
Lolita hors de l'eau.

— Tiens, enfile ça, réplique simplement celle-ci, en lui tendant une tenue orange.

Rosalie s'exécute sans comprendre ce qui lui arrive. Dès que c'est fait, Lolita lui met un sac à dos dans les mains, ainsi qu'une paire de lunettes.

Puis, la jeune vedette part en direction de la cabine de pilotage. Sur place, les deux filles rencontrent les membres de l'équipage. Ceux-ci portent tous un sac à dos et des lunettes pour se protéger du vent. Rosalie sent alors son ventre se nouer...

Mais elle ne peut le mentionner à Lolita, car cette dernière vient de se planter devant une porte ouverte et de…

Chapitre 2

Dans le ciel, on trouve de tout, même une ennemie !

Rosalie s'apprête à reculer, à tourner les talons et à partir en sens inverse. Il n'est pas question qu'elle fasse un saut en parachute aujourd'hui ! D'abord parce qu'elle n'a pas été entraînée pour ça et qu'elle s'écraserait sûrement comme une belle crêpe bien cuite ! Ensuite parce qu'elle a une peur bleue des hauteurs depuis

qu'elle a dû escalader
le manoir de Lolita
pour se rendre dans
la chambre de celle-ci !

Pourtant, le reste de
l'équipage ne semble pas
vouloir l'écouter. Avant
même qu'elle ait fait le
moindre pas, elle sent
une solide poussée dans
son dos. La voilà qui
trébuche et bascule...

... DANS LE VIDE
À SON TOUR !!!

Aaaaaaaaaaaaaaaaaaah !

Le cri de Rosalie s'arrête bien vite. Il faut dire que le vent qui lui entre dans la bouche lorsqu'elle essaie de hurler l'empêche carrément de respirer. Les joues gonflées, les yeux ronds et les cheveux dans tous les sens, la jeune fille a l'impression que sa descente s'accélère. Par chance, elle porte toujours ses lunettes,

ce qui empêche le vent
de lui brûler les rétines.

Autour d'elle,
il n'y a que des nuages,
des nuages, et encore
des nuages ! Aucune
trace de Lolita ! À moins
que… le petit point tout
en bas soit justement
son amie ? Oui !
C'est sûrement elle !
Rassurée, Rosalie se met
à bouger les bras et

les jambes afin d'aller
la rejoindre. On croirait
qu'elle est en train
d'effectuer la technique
du petit chien qui nage.
Ce n'est vraiment pas
une réussite…

Pourtant, elle ne perd pas espoir et, peu à peu, le minuscule point qu'elle tente de rattraper semble grossir... grossir... grossir ! Jusqu'à ce que Rosalie se rende compte que le parachutiste n'est pas du tout Lolita ! Elle le sait par la couleur de son costume. Alors que les deux filles ont enfilé une tenue orange, l'inconnu

en porte une
de couleur rose !
Qui peut bien avoir
décidé de sauter en
même temps qu'elles ?

Rosalie a bientôt
sa réponse, car le
parachute de l'étranger
s'ouvre d'un coup sec,
ce qui fait remonter
celui-ci à sa hauteur.
Apparaît alors tout près
d'elle le visage d'une

jeune fille de son âge, portant des lunettes serties de diamants et un costume qui brille de mille feux. Wow… cette fille est peut-être même PLUS riche que Lolita Star, ce qui n'est pas peu dire !

Parlant de Lolita... cette dernière plonge à travers un nuage, les bras allongés devant elle. Elle arrive à toute vitesse à côté de Rosalie, avant de stopper sa course en empoignant sa meilleure amie et d'ouvrir elle aussi son parachute. Les deux filles s'élèvent de quelques mètres dans les airs à leur tour.

Ouf… Rosalie n'avait pas réalisé que le sol commençait à se rapprocher ! Elle jette un coup d'œil vers le bas et prend une bonne inspiration. Une chance que Lolita savait ce qu'elle faisait, parce que c'était loin d'être son propre cas !

Le reste de la descente se fait doucement, ce qui permet à la jeune fille de poser la question qui la ronge depuis quelques minutes.

— C'est qui, tu crois, la fille qui saute en parachute en même temps que nous ?

Lolita secoue la tête, fronce les sourcils puis soupire, avant de répondre :

— Bof, c'est sans importance. Alors, tu as aimé ton saut ? demande-t-elle, visiblement pour changer de sujet.

— NON ! Ne me refais plus jamais un truc pareil, toi ! En plus, je ne sais même pas comment fonctionne mon parachute ! Tu imagines ?! J'aurais pu mourir !!!

— Mais non, voyons ! J'étais là ! Sans compter que… Oh, une minute, je viens de recevoir un texto. Tiens-toi à moi pendant que je fouille dans ma poche.

Rosalie se dépêche d'enrouler ses bras autour du cou de son amie, tandis que celle-ci sort son cellulaire rose à paillettes du fond de son costume. Puisque les deux filles sont très proches, Rosalie peut très bien lire le message que Lolita vient de recevoir.

Tiens… tu portes des vêtements de pauvre, maintenant ? Qu'est-ce que c'est que cette tenue affreuse, dis-moi ? Et qui est cette fille, avec toi ? Elle n'est pas connue, que je sache. Tu te fais voir avec des gens qui ne sont pas célèbres, désormais ?

Lolita grogne, puis range son cellulaire sans prendre le temps de répondre. Intriguée, Rosalie lui demande aussitôt :

— Qui c'est, cette Maggie Starlette ? Et comment elle peut avoir vu les vêtements que tu portes ?

— Parce qu'elle est juste là, marmonne la jeune vedette en soupirant, avant de pointer l'autre parachutiste qui leur envoie la main au loin.

— Mais…
tu m'avais dit que
tu ne la connaissais
pas !? rétorque Rosalie.

— Non, j'ai dit qu'elle n'était pas importante. Cette fille est... Argh ! Elle me fait enrager chaque fois que je la croise.

— Pourquoi ?

— Je t'expliquerai en bas. Pour l'instant, il va falloir se préparer à atterrir, d'accord ?

Tu vas faire exactement ce que je te dis.

Rosalie hoche la tête, la bouche sèche.

— Bon, pour commencer, je vais t'attacher à moi avec ce harnais, explique Lolita en montrant une ceinture cousue à sa taille. Ensuite, lorsque nous serons tout près de la terre ferme, tu ne dois pas poser les pieds au sol avant moi. Je te dirai à quel moment tu pourras le faire. Tu es prête ?

— Euh… est-ce que j'ai réellement le choix ?

— UN… DEUX… TROIS…, compte Lolita à voix haute avant l'atterrissage.

Les pieds de la jeune fille touchent sans encombre l'herbe verte sur laquelle elle s'apprête à atterrir, mais Rosalie, trop pressée de toucher terre, l'imite. Les voilà qui basculent vers l'avant

et s'enroulent dans
leur propre parachute.
Puis, elles se mettent
à rouler à toute vitesse
durant plusieurs
secondes. Lorsqu'enfin
elles ralentissent,
c'est à peine si on peut
apercevoir le bout
de leur tête sortir
du long tissu.

— Je t’avais DIT
de ne PAS poser
les pieds par terre, il me
semble ! tempête Lolita.

— Oui, c’est que…
je… je m’excuse !!!
Je crois que je n’ai
pas bien compris
cette portion de
ton explication…

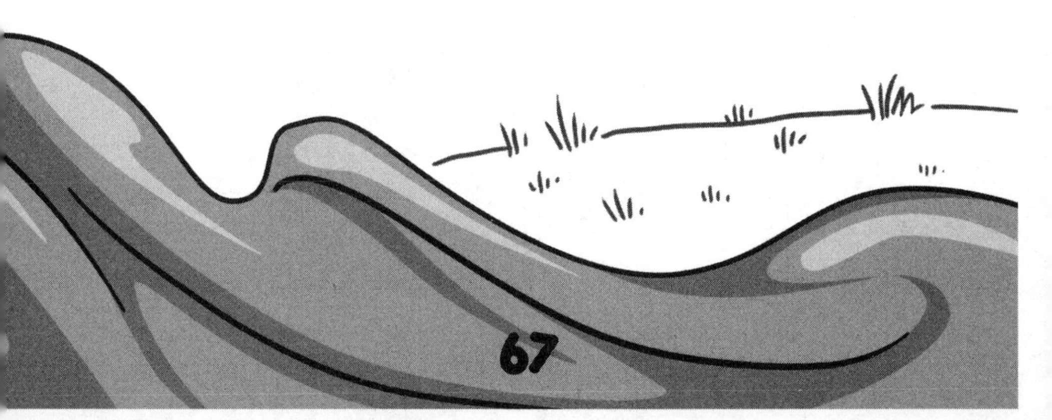

Au moment où Rosalie termine sa phrase, l'autre parachutiste vient se poser en douceur à côté des deux filles. Elle marche ensuite vers celles-ci, un air suffisant sur le visage, avant de lâcher :

— Ouais… on peut dire que tu en as reperdu, Loli, depuis ton départ. Il était plus

que temps que
tu reviennes à
Hollywood, à ce que
je vois. Bon, je vais
aller me changer et
ensuite, on fait un brin
de magasinage ?
J'ai teeeellement besoin
d'une nouvelle garde-
robe, si tu savais !

— Désolée, je suis
occupée, réplique Lolita,
sans le moindre sourire.

— D'accord...
une autre fois, alors.
Mais ne traîne pas trop.
Et surtout, cesse de
ramasser n'importe
qui dans les airs.
Ou on va finir par croire
que tu préfères les
chiens errants aux gens
comme toi et moi...
OK, à plus, Loli !

Lolita se dépêtre du parachute, très en colère. Puis, elle se dirige vers l'avion qui vient de se poser non loin de là. Rosalie finit par la suivre en courant, les sourcils froncés.

Mais qu'est-ce qui arrive à sa meilleure amie ? Visiblement, Lolita n'est pas dans son assiette...

Chapitre 3

La rivale de Lolita Star

Depuis l'atterrissage en parachute, Lolita n'a pas desserré les dents. Elle est de très mauvaise humeur. Tellement que Rosalie a préféré regarder par la vitre de la limousine qui les amenées jusqu'à leur hôtel. Puis, elle a laissé son amie s'enfermer dans la salle de bain.

Sauf que… cela fait uuuuuultra longtemps que la vedette y est. A-t-elle été aspirée en tirant la chasse d'eau ? Pour en avoir le cœur net, Rosalie colle son oreille contre la porte menant aux toilettes et essaie de détecter le moindre bruit. Mais le seul son qu'elle entend, c'est un bruit de trompette !

Que se passe-t-il dans la pièce d'à côté ?! Se disant qu'elle n'a rien à perdre, la jeune fille fait le tour de la chambre des yeux. Quel objet pourrait-elle prendre pour enfoncer la porte ? L'endroit est si grand que cela lui prend au moins dix minutes avant de tout voir. C'est alors que son regard s'éclaire.

Bien sûr... pas besoin de forcer la porte. Elle n'a qu'à communiquer avec Lolita par texto ! Sans faire ni une ni deux, Rosalie attrape son cellulaire et tape rapidement sur les touches.

Lol, pourquoi restes-tu enfermée dans les toilettes ? Et surtout, quel est ce bruit étrange que je viens d'entendre ? Es-tu en train de jouer de la trompette ?

Pas du tout, je... Oh, Rosalie, promets-moi de ne pas me juger, d'accord ?

Bien sûr ! Tu es ma meilleure amie. Je ne te jugerais jamais. Dis-moi ce qui ne va pas.

Je...
je pleurais...

Hein, mais pourquoi ? Qu'est-ce qui te fait autant de peine ? C'est à cause de notre atterrissage raté ? Désolée, je sais que j'aurais dû écouter tes consignes.

Enfin… oui, c’est un peu à cause de notre atterrissage. Mais ça n’a rien à voir avec toi, par contre !

Je ne suis pas certaine de comprendre…

Attends, ce sera plus facile de tout t'expliquer en personne. Je vais ouvrir la porte, d'accord ?

Un petit clic annonce l'ouverture de la porte. Le visage de Lolita apparaît alors dans l'embrasure. Ses yeux sont encore remplis d'eau et son petit nez est tout rouge. Peinée pour elle, Rosalie s'apprête à la prendre dans ses bras quand son cellulaire vibre dans sa main. Elle baisse le menton pour y lire le nouveau message.

C’est cette Maggie Starlette qui m’a gâché ma journée ! Elle et ses remarques déplaisantes ! Elle se croit meilleure que tout le monde !

Je veux bien, mais… pourquoi tu m'écris tout ça au lieu de me le dire ? Je croyais que tu voulais tout m'expliquer en personne.

C'est ce que je fais ! Je t'explique tout en étant devant toi.

Euh…

ouais.

Et si on fermait nos cellulaires pour que ce soit plus simple ?

Mais comment je ferais pour te raconter mes problèmes ?

Bien…
en me parlant !

Oh,
Rosalie !
Quelle bonne idée ! Tu es tellement intelligente !
Bon, je ferme mon cellulaire.

Parfait !
Moi aussi.

Ferme-le
en premier.

Non, toi !

Toi !

Franchement !

Ah, je sais !
On le ferme…
EN MÊME
TEMPS !

D'accord, on compte jusqu'à trois et on le ferme. UN…

DEUX…

TROIS !

Quelques secondes s'écoulent avant que Rosalie reçoive un dernier message :

C'est beau ?
Tu l'as fermé ?

Lol ! Allez, viens t'asseoir sur ton lit, on va pouvoir jaser face à face !

Et cette fois, les filles rangent effectivement leur cellulaire. Au grand soulagement de Rosalie, qui commençait à trouver que ça devenait un tantinet ridicule… Puis, elles s'assoient les jambes croisées sur le matelas, l'une en face de l'autre. Lolita attrape même les mains de son amie avant de se vider le cœur.

— Je me sens tellement idiote, si tu savais !

— Tu ne devrais pas. Ça arrive à tout le monde d'avoir de la peine.

— Je n'ai pas juste de la peine, vois-tu… Je suis carrément enragée après Maggie Starlette ! Elle essaie toujours de me prouver qu'elle est la meilleure et cette fois, j'ai peur qu'elle réussisse.

— Qu'est-ce qui te fait croire ça ?

— D'abord, il faut que tu saches que Maggie Starlette est… ma cousine ! Et qu'elle aussi, elle est actrice depuis qu'elle est toute petite. Comme mes parents sont ses parrain et marraine, elle en profite toujours pour jouer dans les films où je ne joue pas. Sauf que cette fois… nous allons jouer DANS LE MÊME ! Elle fera l'autre personnage principal !

— Oh… je comprends. Pourquoi n’en parles-tu pas à tes parents ? propose Rosalie.

— Ils ne m’écouteraient pas ! Ils croient que Maggie Starlette est suuuuper gentille et que je me plains pour rien. Ils ne voient pas à quel point elle peut être méchante quand elle le veut.

— Dans ce cas,
tu n'as pas le choix...,
constate Rosalie.

— Qu'est-ce que
tu veux dire ?

— Ou tu la laisses
parler sans t'en
préoccuper, ou...

— Ou quoi ? répète Lolita en retenant son souffle.

— Ou tu lui prouves qu'elle a tort ! En étant LA meilleure actrice de tous les temps. Je suis certaine que tu vas y arriver. Surtout que je suis là pour t'aider !

Lolita pousse un long soupir, mais finit par se résigner. Puis, une alarme sur son cellulaire la fait sursauter. Déjà, elle se remet debout, lance sa valise sur le lit, juste à côté de Rosalie, et commence à jeter à droite et à gauche presque tout son contenu.

— Tu cherches quoi ? ose demander Rosalie, en reculant pour ne pas recevoir un chandail sur la tête.

— Je dois porter LA plus belle robe ! Et toi aussi ! Tiens, prends celle-là ! lui ordonne Lolita en lui montrant une longue robe verte scintillante.

Puis, la jeune vedette replonge dans le tas de vêtements. Enfin, elle finit par se choisir un ensemble en satin mauve. Juste avant de l'enfiler, elle explique à Rosalie qu'elles doivent se dépêcher, car elles sont attendues…

— Attendues ?
Pour aller où ?
Le tournage ne débute
que demain, non ?

— Oui, mais
dans dix minutes,
on doit rencontrer
les journalistes pour
leur parler du film
à venir. C'est une
conférence de presse.
Mais ne t'en fais pas,

il n'y aura qu'une cinquantaine de journalistes. Rien de bien énorme…

— CINQUANTE JOURNALISTES !!! En tout cas, pour MOI, c'est énorme ! C'est même ultra BIG ! Et qu'est-ce que je vais leur dire, de toute manière ?

WOW!

— Ne t'en fais pas avec ça. Ils voudront juste savoir quel rôle tu auras et tu pourras mentionner que c'est toi qui feras les cascades. Ça va les impressionner, j'en suis sûre. Allez, tu es prête ?

Rosalie, qui vient à peine de remonter la fermeture éclair de sa robe, hoche mollement de la tête. Les événements se bousculent et elle n'est pas habituée du tout à cela ! Mais elle finit par suivre Lolita dans les couloirs de l'immense hôtel où elles ont élu domicile pour la durée du tournage.

Puisqu'elles logent
au cent quatre-vingt-
dix-neuvième étage
(le dernier de l'hôtel),
les deux amies doivent
prendre l'ascenseur.
Elles s'y engouffrent
et juste au moment où
la porte coulissante se
referme, une main vient
l'en empêcher. La porte
se rouvre, dévoilant une
jeune fille étincelante
dans sa robe bleu azur.

Il s'agit bien évidemment de Maggie Starlette, qui se rend aussi à la conférence de presse…

Elle détaille Lolita et Rosalie d'un air hautain, puis leur lance :

— Dites…
ça ne vous dérangerait pas de me laisser prendre l'ascenseur en premier ? C'est que je suis attendue… Vous pourrez prendre le prochain.

GRRRRR !

Lolita serre les poings et se crispe, avant de répondre :

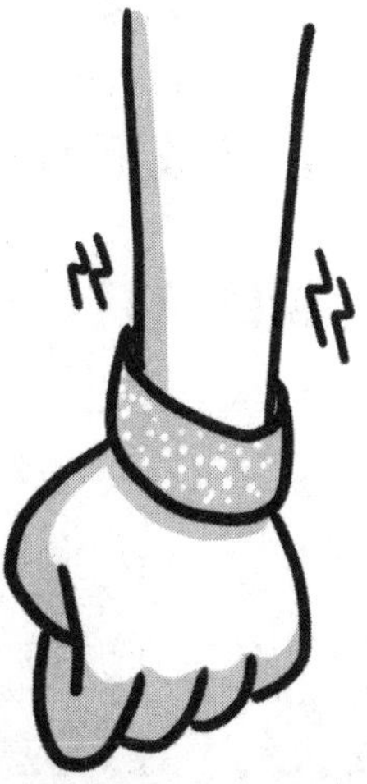

— Pas question !
À toi d'attendre !
Nous, on reste là.

La bagarre est sur
le point d'éclater,
quand Rosalie suggère
doucement :

— Et si on le prenait
toutes ensemble ?
Après tout, nous allons
au même endroit, non ?

Lolita et Maggie Starlette lui lancent un regard choqué. Puis, à la surprise des deux autres, la nouvelle venue finit par abdiquer. Et entrer dans l'ascenseur elle aussi. Lorsque la porte coulissante se referme pour de bon, un silence rempli de malaise envahit les lieux…

Chapitre 4

Face à face avec les journalistes

La musique
d'ascenseur résonne
dans la petite cabine
et Rosalie ne peut
s'empêcher de
fredonner la mélodie.
Mais elle se fait aussitôt
fusiller du regard par
Maggie Starlette,
qui se retourne
d'un coup sec vers elle.
Mal à l'aise, Rosalie
se tait aussitôt
et baisse la tête.

« Que cette fille est désagréable », songe-t-elle, sans toutefois faire de commentaire.

Elle n'en a pas besoin, car Lolita n'a pas l'intention de laisser sa meilleure amie se faire intimider de la sorte. Elle se plante donc devant sa cousine, les poings sur

les hanches, avant
de lancer :

— C'est quoi ton problème, aujourd'hui ? Rosalie chante si elle le veut, compris !

— Si au moins elle avait une belle voix, je n'aurais aucune objection, mais c'est loin d'être le cas ! réplique Maggie Starlette en se rapprochant de Lolita.

— ELLE CHANTE SUPER BIEN !!! enchaîne cette dernière en hurlant à moitié, tout en faisant un autre pas vers sa rivale.

— NON ! ELLE NE FAIT QUE FAUSSER !!! lui crie aux oreilles Maggie Starlette, en avançant elle aussi.

Les deux cousines sont désormais si proches que leurs nez finissent par se toucher. Et Rosalie, qui se sent responsable de leur nouvelle dispute, essaie tant bien que mal de tempérer la situation :

— Ce n'est pas grave, Lol, je n'ai pas tellement envie de chanter, de toute manière...

— Oh que oui, tu vas chanter ! Ce n'est pas une vedette à deux sous qui va t'en empêcher !

— Et toi, tu t'es vue ?! Ton ensemble doit à peine valoir quelques milliers de dollars ! Tu t'habilles dans les friperies pour les pauvres ou quoi ?! réplique Maggie Starlette.

Cette dernière remarque est suffisante pour mettre le feu aux poudres. Les deux stars se sautent carrément dessus, tirant leurs cheveux dans tous les sens et essayant de déchirer la tenue de l'autre. Rosalie, stupéfaite, hésite une seconde, puis saute dans la mêlée pour tenter de séparer les deux filles.

Mais tout ce qu'elle récolte, c'est quelques claques qui ne lui étaient même pas destinées.

Heureusement, l'ascenseur, qui était en train de descendre, s'arrête enfin. Rosalie est déstabilisée et tombe sur le derrière, tandis que les deux combattantes trébuchent chacune dans leur coin. Elles se redressent en vitesse et s'installent devant les portes qui s'ouvrent. Puis, elles se bagarrent de nouveau pour savoir qui descendra la première de la cabine !

Dans leur dos, Rosalie se remet sur pied, découragée. Un peu vexée d'avoir reçu des coups, elle décide de pousser les deux filles pour qu'elles sortent en même temps. Lolita Star et Maggie Starlette émergent enfin de là, les cheveux en bataille et les vêtements dans un triste état. Mais elles ne s'en préoccupent pas du tout et avancent d'un bon pas en direction de la salle où aura lieu la conférence de presse.

Les voilà qui s'installent derrière la longue table, le menton haut, la bouche pincée, à la plus grande surprise des journalistes qui les voient arriver… Le silence se fait dans la salle durant une dizaine de secondes, avant qu'une main se lève et qu'on donne le droit de parole au journaliste :

— Mesdames, est-ce que… est-ce que tout va bien ? On croirait que vous vous êtes battues juste avant de venir ici.

— Absolument pas ! s'écrie Maggie Starlette avec un large sourire hypocrite. Ma cousine et moi sommes en excellents termes ! Je pourrais même dire que nous nous adorons !

— Vraiment ? reprend le journaliste. Dans ce cas, comment se fait-il que dans la dernière entrevue que vous avez accordée, vous disiez que Lolita Star n'avait pas le talent pour endosser le rôle principal d'un film… ?

— J'ai dit ça, moi ? Impossible ! J'ai dû être mal citée !

Franchement !
bredouille Maggie
Starlette en jetant
des regards nerveux en
direction de sa rivale.

Celle-ci se contente
toutefois de sourire
poliment, avant de faire
signe aux journalistes
qu'elle peut répondre à
une nouvelle question.
Une dame lève aussitôt
la main pour demander :

— Lolita Star, comment trouvez-vous le fait de devoir partager la vedette avec votre cousine ? Vous n'avez jamais travaillé avec elle, n'est-ce pas ?

— Eh bien… puisque le tournage n'a pas encore débuté, je ne sais pas comment cela va se dérouler. Mais sachez que j'ai TRÈS HÂTE à demain. Surtout que j'ai engagé une cascadeuse qui me suivra désormais dans toutes mes prochaines productions. Je vous présente Rosalie Sans-le-sou ! termine-t-elle en applaudissant son amie.

Quelques personnes l'imitent timidement, puis les questions reprennent. Un journaliste s'adresse même directement à Rosalie.

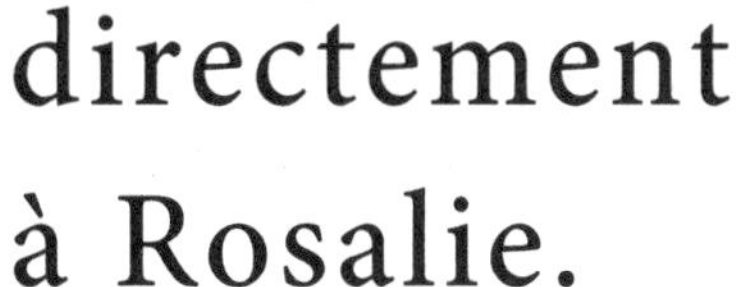

— Mademoiselle Sans-le-sou, quelle est votre formation en tant que cascadeuse ?

— Euh… pour être franche…, commence Rosalie, avant d'être coupée par Lolita.

— Elle a eu le meilleur professeur, moi !

— Oui, en effet, vous avez toujours réalisé vos propres cascades auparavant. Mais j'imagine que c'est la scène où vous devrez sauter du haut d'une falaise sans parachute qui vous a décidé à engager mademoiselle Sans-le-sou. Je me trompe ?

Le corps raide et le cœur battant, Rosalie se dépêche de répéter, pour être certaine d'avoir bien entendu :

— La scène du haut de la falaise ?

— Mais non, vous n'y êtes pas du tout, réfute Lolita, en secouant frénétiquement la tête.

C'est une scène de
presque rien. Rosalie
n'a absolument pas
à avoir peur ! Bon,
prochaine question !

Enfin, les journalistes
se concentrent
sur le scénario et
non sur les cascades
de Rosalie, ce qui
permet à cette dernière
de souffler un peu.
Lorsque la conférence

se termine, Lolita lui
fait signe de la suivre
en coulisse afin de
ne pas affronter la foule
qui ne la lâche pas
d'une semelle dès qu'elle
arrive à Hollywood.
Maggie Starlette, pour
sa part, a décidé d'aller
voir ses admirateurs
pour se faire prendre
en photo de mille et
une façons.

Ce n'est qu'à ce moment que Rosalie peut enfin questionner son amie :

— Lol, c'était quoi, cette histoire de falaise ? Et pourquoi je ne pourrai pas utiliser de parachute ? Quoique, de toute manière, tu le sais autant que moi, je ne SAIS PAS comment en ouvrir un, moi ! JE NE POURRAI PAS FAIRE CETTE CASCADE !!!

— Du calme, Rosalie ! Ne t'inquiète pas pour ça.

— Facile à dire ! Toi, tu n'auras pas à SAUTER D'UNE FALAISE !!!

— Mais toi non plus !
La majorité des cascades
se font par ordinateur.
Il n'y a rien de réel. Donc,
pas de panique. OK ?

— C'est vrai ?
Pas de falaise ? lui fait
promettre Rosalie
d'une toute petite voix.

— Je te le jure, aucune falaise ! lui garantit la jeune vedette, en croisant les doigts dans son dos.

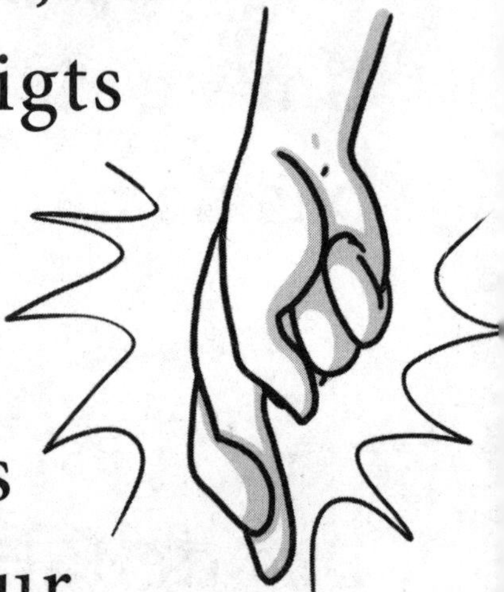

Puis, les filles remontent à leur chambre. Et pendant que Rosalie se remet de ses émotions, Lolita se demande comment elle a pu mentir de la sorte à sa meilleure amie…

chapitre 5

Premier jour de tournage

Dès que le réveille-
matin se met à rugir,
le lendemain, Rosalie
est la première à sauter
de l'immense lit dans
lequel elle a fait
de très beaux rêves.
Il n'est que six heures
du matin et pourtant,
la future cascadeuse
se sent d'attaque !
La veille, elle a été
rassurée par les propos
de Lolita et c'est le cœur
joyeux qu'elle enfile

des vêtements
confortables en vue
des cascades qu'elle
devra effectuer.

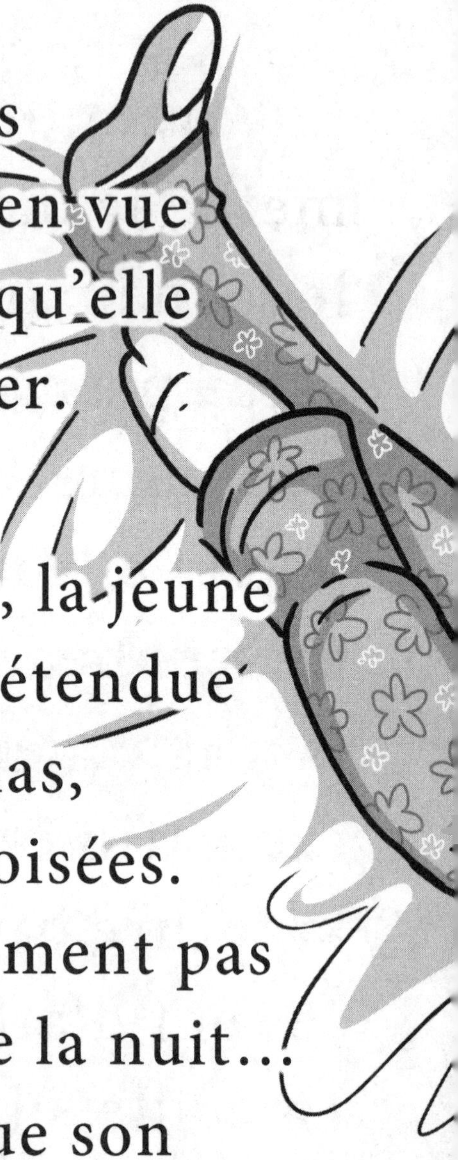

De son côté, la jeune
vedette reste étendue
sur son matelas,
les jambes croisées.
Elle n'a quasiment pas
fermé l'œil de la nuit...
Il faut dire que son
mensonge la ronge.
JAMAIS elle n'avait osé
mentir à quiconque.

Encore moins à sa meilleure amie !
Le pire, c'est que, dès cette première journée de tournage, il est prévu que l'équipe se rende tout près de la falaise la plus haute qui existe sur la planète...

Et comme le journaliste l'a mentionné durant la conférence de presse, Rosalie devra y plonger sans le moindre parachute ! Normalement, un cascadeur expérimenté serait capable de s'accrocher à la paroi pour éviter de se casser la margoulette. Sauf que Rosalie a de la difficulté à sauter d'une clôture haute de quatre pieds… Comment parviendra-t-elle à s'exécuter de si haut ?

Lolita en a des sueurs froides…

Sans compter que, même si tout se déroule à la perfection, Rosalie lui en voudra sûrement pour le reste de ses jours ! Celle-ci est d'ailleurs déjà prête et retire d'un coup sec les couvertures de Lolita pour la faire rire. Mais cela ne fonctionne pas du tout. Voyant que quelque chose ne va pas, Rosalie s'assoit au bout du lit et demande à Lolita :

— Je peux savoir ce qui se passe ? C'est l'idée de commencer le tournage et d'être constamment avec Maggie Starlette qui te met dans cet état ?

— Peut-être un peu...,
murmure Lolita,
sans bouger.

— Allez, arrête
de t'en faire !
Ça va aller comme
sur des roulettes !
Tu te souviens
de ce que tu m'as dit
hier soir ?

— Ouais, justement...

— Bon, alors suis tes propres conseils : pas de panique !

Le cellulaire de
la jeune vedette
se met alors à vibrer
et Rosalie abandonne
son amie pour aller faire
un tour aux toilettes.
Lolita se résout enfin
à se lever. Elle attrape
le téléphone et fait
aussitôt la grimace
en lisant le message
qui vient d'entrer.

J'espère que ta cascadeuse est prête pour la falaise du Diable ! À ma connaissance, peu de gens en sont revenus indemnes… On se voit sur le plateau, chère cousine !

Rosalie sera excellente ! C'est plutôt toi qui risques de jouer faux !

Bof...
On verra bien.
En passant,
j'espère que
tu es bientôt prête,
parce que l'autobus part
dans cinq minutes.
Arrête de te pomponner,
tu ne seras jamais aussi
jolie que moi !

Lolita lance
son téléphone sur
le matelas en grognant.

Puis, elle accélère
la cadence. En moins
de deux, elle est déjà
peignée, chaussée
et habillée. Dès que
Rosalie sort de la salle
de bain attenante à la
chambre, elle découvre
la jeune vedette prête
à passer à travers sa
journée. Les deux filles
filent vers l'ascenseur
et soupirent de
soulagement
en remarquant

qu'elles n'auront pas
à le partager avec
Maggie Starlette.

À leur sortie de l'hôtel,
un camion blanc
les attend pour les
mener sur les lieux
du tournage. Le cœur
de Lolita se remet
à battre de manière
frénétique, mais
elle se contente d'avaler
sa salive et de cacher

ses mains tremblantes dans son dos. Il lui reste très peu de temps pour trouver une solution. La falaise ne se trouve qu'à une heure de route. Et dès qu'ils y seront, Rosalie comprendra ce qui l'attend…

À moins qu'elle le découvre avant !... Face à la jeune fille, Maggie Starlette est assise calmement et la fixe sans cligner des yeux. Mal à l'aise, Rosalie finit par tourner la tête vers la fenêtre. C'est ce moment que choisit la cousine de Lolita pour s'exclamer :

— Oh là là...
Ce ne sera pas
une journée facile
pour toi, Rosie...
Rosanne... Rosita... ?
Quel est ton nom, déjà ?

— Elle s'appelle
Rosalie, marmonne
Lolita, les dents serrées.

— Oui, c'est ça ! Désolée de te dire une chose pareille, mais si tu veux percer, à Hollywood, il faudrait que tu penses à changer de nom. Rosalie… c'est tellement commun !

— J'aime beaucoup mon prénom et je ne compte pas en prendre un autre. Je ne vois pas pourquoi on devrait s'en choisir un spécial pour devenir une vedette !

— Tu ne vois pas ? Pourtant, Loli et moi, nous n'utilisons pas nos vrais prénoms.

Aussitôt, Rosalie se tourne vers son amie, abasourdie, pour lui demander :

— Tu ne t'appelles pas Lolita Star ?! Mais comment tu t'appelles, alors ? Et durant tout ce temps, tu m'as dit que...

— Attends ! Ça fait des années que je n'utilise plus mon ancien nom, la coupe Lolita. Je n'ai juste pas pensé à te le dire.

— Mais c'est quoi, ton véritable nom, dans ce cas ?

Un petit silence accueille la question de Rosalie. La jeune vedette se mord les lèvres, indécise. Elle n'a jamais dit son vrai nom à qui que ce soit. Seuls ses parents le connaissent. Ah non, c'est vrai, sa cousine aussi le sait… Et cette dernière se fait évidemment un plaisir de le lancer à la figure de Rosalie.

— Elle s'appelle Laurie. Laurie Tremblay !

— Hé, de quoi je me mêle ! rouspète Lolita.

Avant que la dispute reprenne de plus belle, Rosalie murmure :

— Moi, je trouve ça
très joli, Laurie.
Et je suis certaine que
si tu avais gardé ce
prénom, tout le monde
aurait trouvé que tu es
une actrice incroyable.

Maggie Starlette
se renfrogne et croise
les bras, contrariée.
Elle aurait bien aimé
que les deux filles
soient en froid,

elles aussi.
En les observant
attentivement,
la cousine de Lolita
ne peut s'empêcher
d'éprouver un sentiment
très désagréable au
fond de son cœur.
Serait-ce de la jalousie ?
Non… Pourquoi serait-
elle jalouse, de toute
manière ?! Rosalie
n'est qu'une petite
cascadeuse de rien
du tout ! Elle vient

d’une minuscule ville
et sa maison doit être
grosse comme une niche
à chien !

En plus, même si
elle passe son temps à
être gentille avec Lolita,
elle ne doit pas être
une très bonne amie.
Parce qu’une amie,
ça sert à quoi, au juste ?
À aller magasiner,
à se pavaner en public

et à donner l'impression qu'on a réussi. Non ? Alors que Lolita et Rosalie, elles ne font que s'amuser ensemble, rire, se raconter des détails sans importance de leur vie, se confier des secrets et être gentilles l'une envers l'autre.

Maggie Starlette se dit qu'elle n'a pas besoin d'avoir des amies, elle ! Elle vit très bien avec son succès et ne désire pas le partager avec qui que ce soit. La seule chose qui pourrait la rendre plus heureuse, c'est d'être encore plus connue et appréciée du public que Lolita Star.

Et le film dans lequel
elle s'apprête à jouer lui
permettra sûrement
de réaliser ce rêve…

chapitre 6

À GO, il faut sauter !

Le camion s'arrête à moins de deux mètres d'une large crevasse. Sans se douter du danger, Rosalie sort du véhicule, impatiente de tourner la scène. Elle s'avance, le visage relevé vers le ciel pour admirer la vue. Là où ils se trouvent, les rochers et les montagnes sont superbes.

La jeune fille fait un autre pas en prenant le temps d'inspirer abondamment. Elle ferme aussi les yeux, question d'apprécier encore davantage le moment. Et de nouveau, elle effectue quelques pas. Ce qui mène notre jeune héroïne touuuut près de la falaise...

La voilà même qui lève le pied de nouveau. La jambe dans le vide, elle se penche vers l'avant et…

— ROSALIE !!! s'égosille Lolita, qui vient d'apercevoir son amie sur le point de tomber dans le précipice.

Cette dernière ouvre alors les yeux d'un coup et manque de s'étouffer. Elle balance les bras dans tous les sens pour tenter de retrouver son équilibre, mais c'est peine perdue. Elle s'apprête à basculer quand… une main la rattrape à la dernière seconde !

Il s'agit de Maggie Starlette, qui tient Rosalie par le bout du chandail, comme si elle avait peur de se faire salir par celui-ci.

— Dis donc, toi. On peut dire que les cascades, ça ne te fait pas peur. Mais qu'est-ce que tu dirais d'attendre que la caméra tourne

avant de te lancer
dans le vide ?

Puis, elle tire Rosalie vers l'arrière pour s'assurer qu'elle ne glisse pas sur le rebord des roches. De son côté, la future cascadeuse vient d'avoir la frousse de sa vie. Son teint blanc témoigne de la peur qu'elle ressent encore. Du moins, jusqu'à ce que la colère prenne le dessus ! C'est qu'elle vient de comprendre que la falaise n'allait pas du tout être reproduite par ordinateur... Celle-ci est bien réelle ! Et Rosalie devra y plonger tout à fait volontairement lorsque le caméraman le lui indiquera !

La jeune fille saute sur ses pieds et fonce sur Lolita pour lui dire qu'il n'en est pas question. Au même moment, Réal Glorieux, le très célèbre réalisateur du film, fait signe à la vedette de venir s'installer pour le début du tournage. L'homme n'entend pas à rire et il hurle à Lolita de se dépêcher. Rosalie n'a pas le temps de lui dire un mot que la jeune vedette est déjà face à la caméra et débite son texte. Les oreilles rouges et les poings serrés, Rosalie ravale sa colère. Pour l'instant…

C'est la première fois qu'elle assiste au tournage d'un film et elle doit avouer que c'est plutôt impressionnant. Ça bouge dans tous les coins, ça hurle, ça se dicte des ordres. Mais dès que le réalisateur crie ACTION, il n'y a plus un seul bruit sur le plateau. Seuls les acteurs ont droit de parole.

Par contre, lorsque
le clap indiquant la
fin de la scène se fait
entendre, la cacophonie
reprend de plus belle.
Et chacun y va de
son commentaire.

Ouf! C'est étourdissant! Pourtant, Lolita semble dans son élément. Elle est vraiment une excellente actrice et Rosalie se rend compte que ce n'est pas pour rien que la jeune vedette est si populaire ! Elle est tout simplement GÉNIALE ! Même quand elle doit verser une larme sur commande, Lolita y parvient haut la main.

C'est comme si elle était née pour faire ce travail.

Alors que dans le cas de Rosalie, être cascadeuse est loin d'être un métier taillé sur mesure pour elle...

Ce qu'elle n'a toutefois pas le temps d'expliquer à Réal Glorieux, lorsque ce dernier vient la rejoindre pour lui donner ses indications. Il ne sourit pas du tout en l'observant et donne quelques indications à la coiffeuse, à la maquilleuse et à l'habilleuse. Aussitôt, ces dernières tournent autour de Rosalie pour arranger son look.

— Donc, c'est toi
notre cascadeuse,
c'est ça ? OK, parfait.
Tu vas t'installer ici.
Dès que je te fais signe,
tu t'élances. Ce n'est pas
plus compliqué que ça.
La caméra va te suivre
dans le vide durant
quelques secondes,
puis nous allons nous
éloigner. C'est bon ?
Oui, c'est bon.
Ça te laissera
le temps de

t'agripper au rebord de la falaise afin de remonter. Si tu as de la difficulté à te hisser jusqu'en haut, on t'enverra une corde. D'accord ? Ouais, tu es d'accord. On va refaire la prise au moins cinq fois. C'est un minimum pour avoir tous nos angles de vue. Tu as compris ? Oui, tu as compris. OK, alors, à GO, tu sautes !

termine le réalisateur, sans même reprendre son souffle.

Étourdie autant par les professionnelles qui lui tirent les cheveux et qui lui donnent un dernier coup de pinceau sur les joues que par l'homme qui s'éloigne et rugit à son équipe de se tenir prête, Rosalie n'a pas le temps d'ouvrir la bouche. Déjà, elle entend le signal de départ.

— TROIS, DEUX, UN... GO ! PLONGE !

Mais Rosalie reste figée sur place. Elle n'ose même pas faire un pas en direction de la crevasse. Ses jambes semblent peser des tonnes et elle n'a pas l'énergie pour les faire avancer. Ses oreilles bourdonnent tellement qu'elle entend à peine les cris de Réal Glorieux, qui s'égosille de frustration.

— Qui m'a envoyé une empotée de la sorte ?! Pourquoi elle ne bouge pas ? Allez, c'est le temps de sauter ! Mais qu'est-ce qu'elle fabrique ???

— Une minute, je vais lui parler ! s'exclame Lolita, en s'interposant entre le réalisateur et son amie.

Elle pose alors
les mains sur les épaules
de Rosalie et plonge
son regard dans le sien,
avant de murmurer :

— Eh, ça va ? Tu...
tu es toujours là ?

Ce à quoi Rosalie
répond en retrouvant
ses esprits et en
repoussant les bras
de l'actrice, les joues

rouges et les sourcils froncés :

— Bien sûr que je suis là ! Mais dans quelques secondes, si je vous écoute, je vais me retrouver dans le vide, pour finalement m'écraser dans le fond du ravin ! TU M'AVAIS DIT QU'IL N'Y AURAIT PAS DE FALAISE !!!

— Ouais, euh… c’est que tu étais tellement en état de panique, hier soir, que je voulais juste te rassurer. Écoute, si tu ne veux pas le faire, je…

À ce moment précis, Réal Glorieux est en train de s'arracher tous les cheveux qu'il a sur la tête. L'équipe en entier ne sait plus sur quel pied danser et Maggie Starlette ne peut s'empêcher de lancer :

— Moi, si ma meilleure amie m'avait menti de la sorte, c'est clair que je ne lui parlerais plus jamais. Et que je m'en irais d'ici en vitesse...

C'est suffisant pour que Rosalie relève la tête. Non. Il n'est pas question qu'elle rebrousse chemin. Elle a fait une promesse

à Lolita et elle va
la tenir. Elle va lui
prouver, et à tout
le monde ici, qu'elle
peut très bien être
une cascadeuse !
Et si pour cela
elle doit plonger,
alors elle plongera !

Rosalie prend donc
une bonne inspiration
et interpelle le
réalisateur pour lui
dire d'être prêt parce

qu'à GO, elle va sauter. Les caméramans se réinstallent. Le silence revient sur le plateau. Lolita recule pour ne pas être dans le chemin et Maggie Starlette ronge son frein, encore une fois mécontente de la tournure des événements.

Cette fois, c'est Rosalie qui fait le décompte :

— TROIS, DEUX, UN... GO !

Et qui s'élance vers la falaise...

Chapitre 7

Descente vertigineuse et sauvetage miraculeux

Rosalie fait trois pas et une fois sur le rebord de la falaise, elle se rappelle les indications de Lolita lorsqu'elle devait exécuter un plongeon parfait.

« Lève les bras dans les airs, joins tes mains et donne-toi un petit élan. »

La jeune fille parvient à reproduire le tout avec brio. Si Lolita devait lui donner une note, elle lui décernerait sans conteste un 10 ! Mais ce n'est pas le temps d'être notée. C'est plutôt celui d'essayer de s'en sortir en un seul morceau…

Son corps descend à toute vitesse dans la crevasse. La caméra la suit durant quelques secondes avant que ne résonne le mot « COUPEZ » du haut de la falaise. C'est le moment d'essayer de s'agripper à la paroi rocheuse.

COUPEZ!

Bon… et comment fait-on, déjà ? se demande Rosalie, en ramenant les bras vers elle et en jetant un coup d'œil à ce qui l'entoure. Il n'y a aucun endroit où elle pourrait s'accrocher pour cesser sa chute. Les roches sont toutes si lisses. Et il n'y a aucun trou dans lequel poser ses pieds.

Hum… la situation lui
paraît assez critique.
Il serait peut-être temps
de se mettre à hurler ?
Mais avant que Rosalie
ouvre la bouche,
elle voit apparaître,
juste à ses côtés,
la silhouette de :
LOLITA STAR !

Cette dernière saisit la taille de son amie et, à quelques mètres seulement du sol, elle tend la main pour attraper un petit sac de toile inséré entre deux roches. Il s'agit d'un parachute, posé là au cas où le cascadeur ne serait pas capable de se retenir à la paroi rocheuse. Rapidement, la jeune vedette enclenche le mécanisme.

Une secousse fait remonter les deux filles dans les airs, pour le plus grand bonheur de Rosalie.

Elle se dépêche d'ailleurs de remercier son ange gardien :

— Merci d'être venue ! Sans toi, je pense que je n'y serais jamais parvenue !

— Ne dis pas ça. Tu t'en sortais super bien !

— Mais comment tu as su qu'il y avait un parachute juste là ?

— Tu n’en reviendras pas, mais… c’est Maggie Starlette qui me l’a dit. La dernière fois qu’elle a tourné un film près d’ici, le cascadeur l’avait utilisé. Et elle s’en est souvenue.

— C’est drôle, moi qui pensais qu’elle me détestait…

— Ce n'est pas toi qu'elle déteste. C'est moi, la corrige Lolita en secouant la tête.

Rosalie est à deux doigts de lui dire qu'elle a des doutes là-dessus, quand une vibration se fait sentir dans la poche du pantalon de la jeune vedette. Celle-ci en sort son cellulaire pour voir qui lui a écrit.

Non, mais, c'est quoi cette histoire ?! Il fallait laisser la cascadeuse se débrouiller toute seule.

Elle allait s'écraser contre les rochers !

Mais non !
Elle est une spécialiste, oui ou non ?!

C'est-à-dire que…

Peu importe. Le temps presse. Remontez tout de suite et revenez faire la scène ! On a encore quatre autres prises à faire !

Lolita ne prend pas la peine de répondre et range son téléphone. Lorsque le sol approche, elle n'a pas besoin

de demander à Rosalie
de la laisser poser
les pieds dessus en
premier. Celle-ci a déjà
eu sa leçon à ce sujet.

Une fois bien en
sécurité sur la terre
ferme, la cascadeuse
ne peut toutefois
pas s'empêcher de
questionner la jeune
vedette :

— Euh… désolée, mais… Comment on va faire pour retourner tout là-haut ? Tu n'as pas un ascenseur caché entre les rochers, que je sache, hein ?

— Non, en effet. Mais je crois avoir une idée, commence Lolita, en reprenant son cellulaire.

Maggie Starlette ? Dis, tu me rendrais un petit service ?

Ça dépend lequel…

Ton drone,
il est toujours
opérationnel ?

Ah, je vois
où tu veux
en venir.
Minute,
je vous l'envoie
tout de suite.

Génial,
on l'attend !

D'accord,
sauf que tu sais
qu'un service
en attire
un autre, hein ?

Mouais…
tu veux quoi,
en échange ?

Je te le dirai
en temps
et lieu.
Lève la tête,
mon drone s'approche
de vous deux.

Comme prévu, un minuscule hélicoptère gros comme un chat vole juste au-dessus de la tête de Rosalie et Lolita. Cette dernière tend les bras et attrape l'appareil. Rosalie se tient solidement au cou de son amie et les deux filles s'élèvent maintenant dans le ciel. En quelques minutes à peine, elles remontent

la falaise sans
la moindre
égratignure !

Toute l'équipe
les applaudit.
Sauf Réal Glorieux,
qui trouve que tout cela
est une perte de temps.
Il hurle des ordres à
chacun et repousse
Lolita dans un coin
où elle ne pourra
plus intervenir.

Encore une fois, Rosalie
va devoir sauter dans
le vide. Mais cette
fois, plus le moindre
parachute pour amortir
sa chute...

Mais la jeune fille a
plus d'un tour dans
son sac. Avant que le
réalisateur commence
le décompte, elle cherche
le drone des yeux.
Puis, il est trop

tard pour réfléchir davantage. Rosalie doit de nouveau sauter ! Et c'est ce qu'elle fait, toujours en simulant un plongeon. Cette fois, par contre, dès qu'elle arrive au centre de la crevasse, elle repère le drone, qui la suivait de près, s'étire et s'agrippe à lui.

En moins de deux, l'hélicoptère la fait remonter et atterrir près de l'équipe de tournage, qui est impressionnée par l'agilité de la jeune fille. Lolita lui crie des encouragements,

car la scène n'est pas
encore terminée.

À chacune des prises
suivantes, Rosalie
sent la peur la quitter
progressivement. Sans
compter qu'elle connaît
un peu mieux la falaise,
ainsi que tous les endroits
où il y a des trous dans
les rochers. Trous
qu'elle n'avait auparavant
pas pris le temps
de remarquer.

Lors de ses trois derniers sauts, elle réussit à s'y agripper et à grimper sans l'aide de quiconque. Au bout d'une heure, le réalisateur, satisfait des angles de vue qu'il a pu filmer, indique à son équipe qu'il est temps de remballer le matériel et de retourner à l'hôtel.

Épuisée, Rosalie s'écroule dans le camion aux côtés de Lolita. Cette dernière ne peut s'empêcher de la féliciter encore et encore.

— Tu as été FAN-TAS-TI-QUE ! Il n'y a pas d'autres mots !

— Bah, il ne faut pas exagérer non plus, marmonne Maggie Starlette, les bras croisés. C'est quand même son travail.

— Ne l'écoute pas ! Elle est jalouse de ton talent, réplique Lolita en pointant sa cousine du menton.

— C'est faux ! Je ne suis pas jalouse !

— JALOUSE ! JALOUSE ! scande Lolita, ce qui fait enrager Maggie Starlette.

Pour se venger, celle-ci s'écrie d'ailleurs :

— Eh, mais j'y pense. Tu me dois un service, tu te rappelles ?

— Ben là… Ça dépend de ce que tu vas me demander.

— Aurais-tu peur, Lolita Star ?

— Absolument pas !

— PEUREUSE ! PEUREUSE ! répète cette fois Maggie Starlette, avec un sourire mauvais.

— Vous n'avez pas bientôt fini, toutes les deux ! lâche Rosalie en soupirant. On dirait deux enfants !

Un silence suit la déclaration de la jeune fille. Maggie Starlette finit par le rompre, car elle vient d'avoir une idée. Fière d'elle, elle déclare :

— Je sais quel service tu vas me rendre, Lolita !

— Bon, bon, bon. Je t'écoute..., ronchonne celle-ci.

— Tu vas me prêter ta meilleure amie. Durant UNE JOURNÉE ENTIÈRE !

— Quoi ?!
Pas question, c'est
MA meilleure amie !
Pas la tienne !

— Désolée pour toi,
mais dès demain, et ce,
durant vingt-quatre
heures, Rosalie sera
à MOI !

Le camion, qui se stationne devant l'hôtel, signe la fin de la dispute entre les deux cousines. Maggie Starlette est la première à en sortir. Avant de s'éloigner, elle se tourne vers Rosalie et déclare :

— Demain matin, dès six heures, tiens-toi prête. Je passerai te chercher.

Et là-dessus, elle abandonne les deux filles, interloquées.

chapitre 8

Comment descendre d'un *hôtel* sans emprunter l'ascenseur ?

Cette fois, c'est pour Rosalie que la nuit a été longue. Elle s'est tournée, retournée, puis re-retournée dans son gigantesque lit durant des heures ! Rien à faire, le sommeil ne voulait pas venir. Elle aurait bien voulu discuter avec Lolita et lui confier ses craintes à l'idée de devoir passer une journée entière avec la pire ennemie

de celle-ci, mais…
Lolita ne semblait pas d'humeur à parler. Elle n'a fait qu'attraper sa brosse à dents pour se les nettoyer rageusement, bien assise sur son lit.

Depuis leur arrivée à Hollywood, la jeune vedette est différente, songe Rosalie. Elle a tendance à se refermer sur elle-même. Elle ne rit plus autant. Elle est souvent sur ses gardes et ne semble plus être capable de simplement s'amuser. C'est à croire que la célébrité n'a pas que de bons côtés !

En soupirant, Rosalie repousse ses couvertures. Elle jette un œil à sa voisine encore endormie, mais qui lui tourne le dos. Pas la peine de la réveiller pour lui mentionner que le moment est venu d'aller rejoindre Maggie Starlette. Dans le noir de la chambre, Rosalie réussit à trouver un chandail et des pantalons, avant de se faufiler à l'extérieur.

Puis, elle se plante devant l'ascenseur pour attendre celle à qui elle servira de meilleure amie durant vingt-quatre heures...

Ce que Rosalie ignore, c'est que Lolita ne dort absolument pas ! Elle aussi, elle a passé une nuit horrible. Mais dans son cas, cela lui a permis d'élaborer un plan. Et celui-ci débute par le fait de se lever en vitesse, d'enfiler des leggings et un chandail à capuche (noirs tous les deux), avant de suivre son amie à l'extérieur de la pièce.

Pas question que Lolita laisse cette dernière accompagner sa cousine sans réagir. Elle veut s'assurer que Rosalie sera en sécurité. Et peut-être aussi qu'elle ne s'amusera pas autant avec Maggie Starlette qu'avec elle…

Lolita se poste tout au bout du couloir pour observer la rencontre entre les deux jeunes filles. Mais elle n'a pas le temps d'assister à celle-ci, puisque, dès que Maggie Starlette se pointe près de l'ascenseur, les deux amies d'un jour s'y engouffrent et disparaissent de sa vue. Zut !

Maintenant, comment fera-t-elle pour les suivre ?

La jeune vedette hésite à se précipiter dans l'escalier pour descendre les quatre-vingt-dix-neuf étages à la course... Puis, elle se dit qu'elle ne parviendra jamais en bas à temps. Non, le mieux, ce serait d'emprunter la fenêtre.

Mais avec quoi
pourra-t-elle effectuer
un vol plané ? Elle n’a
pas songé à emporter
son parachute avec elle.
Il est resté dans
le camion blanc.

En vitesse, la star retourne dans sa chambre et en fait rapidement le tour. C'est qu'elle vient d'avoir une idée ! Elle cherche alors sous le lit, dans la penderie et même dans le bain, quand elle met enfin la main sur ce dont elle aura besoin. L'objet attendait sagement qu'elle le saisisse, appuyé contre le cadre

de la porte :
son parapluie
géant !

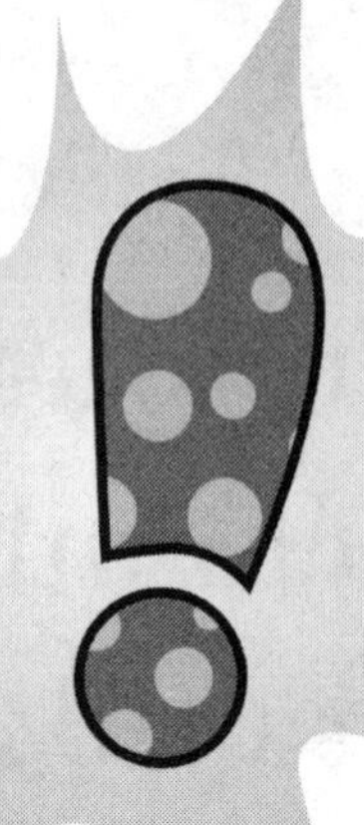

Sans plus attendre, Lolita sprinte jusqu'à la fenêtre la plus proche et tente de l'ouvrir, mais la chose est loin d'être évidente. On croirait que la vitre a été collée ! Grrr ! La jeune vedette n'a pas dit son dernier mot et d'un coup de parapluie bien placé, elle parvient à débloquer la fenêtre, pour enfin la faire coulisser vers la droite.

Puis, elle se penche légèrement dans le vide…

Ouh là là...
La vue est peut-être
magnifique, mais ce
n'en est pas moins haut !
Et même si Lolita
n'a jamais eu le vertige,
elle est impressionnée !
Mais elle n'a pas
une seconde à perdre.
Tout en bas, elle vient
d'apercevoir (aussi
petite qu'une fourmi...)
la limousine de
Maggie Starlette qui
s'avance vers l'hôtel.

Dans quelques secondes, cette dernière sortira de l'immeuble en compagnie de Rosalie. Son chauffeur leur ouvrira la porte et les filles iront s'asseoir sur la banquette moelleuse et luxueuse.

Prenant une bonne inspiration, Lolita se recule, ouvre son parapluie (oui, elle SAIT que cela peut porter malheur de l'ouvrir À L'INTÉRIEUR, mais elle n'a PAS le choix !) et compte jusqu'à trois dans sa tête. Écouter le décompte de son réalisateur avant de se lancer dans le vide l'a toujours aidée à remettre ses idées en place et à se calmer.

TROIS, DEUX, UN... GO !!!

Lolita se met à courir. Elle ferme les yeux et... BANG !!! Le parapluie, beaucoup trop gros pour passer à travers la fenêtre, la retient dans son élan et la tire vers l'arrière. La jeune vedette rebondit pour atterrir sur les fesses.

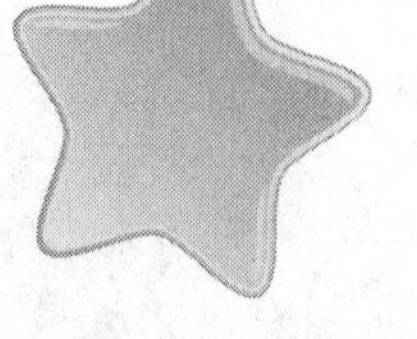

Lorsqu'elle ouvre les paupières, Lolita comprend rapidement ce qui s'est produit. Elle ronchonne, tout en se frottant le popotin. C'est que la chute a été assez douloureuse !

La jeune fille
se remet debout
et évalue la situation.
Visiblement, elle ne
pourra pas courir pour
se donner un élan.
Elle devra refermer
le parapluie, le passer
par l'ouverture de
la fenêtre, l'ouvrir
pour la seconde fois,
puis simplement
se laisser tomber.
En s'assurant de bien
tenir le parapluie !

Rien de trop compliqué. Aussitôt dit, aussitôt fait. Lolita s'exécute avec minutie et, une fois bien installée sur le rebord de la fenêtre, elle effectue un tout petit saut afin de s'éloigner de l'immeuble. Mais sa vitesse de descente est assez impressionnante. Tellement que Lolita commence à croire que son plan risque d'être un échec sur toute la ligne. Pourtant, elle a tout fait dans le bon ordre !

Elle n'a pas couru. Elle s'est glissée doucement par la fenêtre. Elle a ouvert son... OH NON ! Voilà son erreur ! Elle a oublié d'ouvrir son parapluie !!! Et le sol se rapproche dangereusement !

Avec maladresse,
la jeune vedette essaie
de peser sur le bouton
permettant l'ouverture
de l'objet, mais le vent
et le stress lui causent
bien des maux de tête !
Les étages de l'hôtel
défilent à toute vitesse.
Il lui reste si peu
de temps pour…

OUF ! ENFIN !
Le parapluie géant
s'est ouvert dans un
grand fracas !
Et Lolita, qui
s'accroche solidement
à son manche, a ralenti
considérablement sa
descente. Désormais,
elle virevolte selon
les bourrasques
qu'elle rencontre.

Sous elle, la porte
de l'hôtel dévoile
les silhouettes de Rosalie
et Maggie Starlette.
Celles-ci s'approchent
de la limousine et
disparaissent à l'intérieur
du véhicule. Puis,
le moteur de la voiture
gronde alors que
le chauffeur s'engage
dans la rue. Avant que
Lolita ait eu le temps
de toucher terre,

la limousine s'éloigne et tourne le coin.

La jeune vedette va la perdre de vue si elle ne se décide pas à faire quelque chose ! Oui, mais quoi ? Comment peut-on poursuivre une voiture lorsqu'on est agrippée à un parapluie géant que les vents ballotent d'un côté comme de l'autre ?

Mais Lolita
n'est jamais à bout
de ressources...
Une autre idée
vient de germer dans
sa tête. Bien sûr !
Elle a le mode de
transport parfait
pour éviter
les embouteillages,
les feux de circulation
et les piétons !

SON PARAPLUIE ! Elle n'a qu'à se laisser guider par les vents ! Toutefois, comme ça ne risque pas d'être suffisant pour rattraper Rosalie et Maggie Starlette, Lolita fouille dans une de ses poches.

Et elle en sort justement l'objet qui lui manquait...

Chapitre 9

Une brosse à dents électrique peut vous mener là où vous le voulez

UNE BROSSE À DENTS ! Oui, Lolita vient de se rappeler qu'elle s'est étendue sur son lit juste après s'être brossé les dents. Et qu'ensuite, elle n'avait plus envie de se relever. C'est pourquoi elle a rangé l'objet dans sa poche.

De plus, cette brosse
n'est pas ordinaire...
Elle est électrique !
Un petit moteur
la fait fonctionner.
Si Lolita l'installe juste
à la base du parapluie,
celui-ci devrait se
mettre à tourner
comme une hélice !

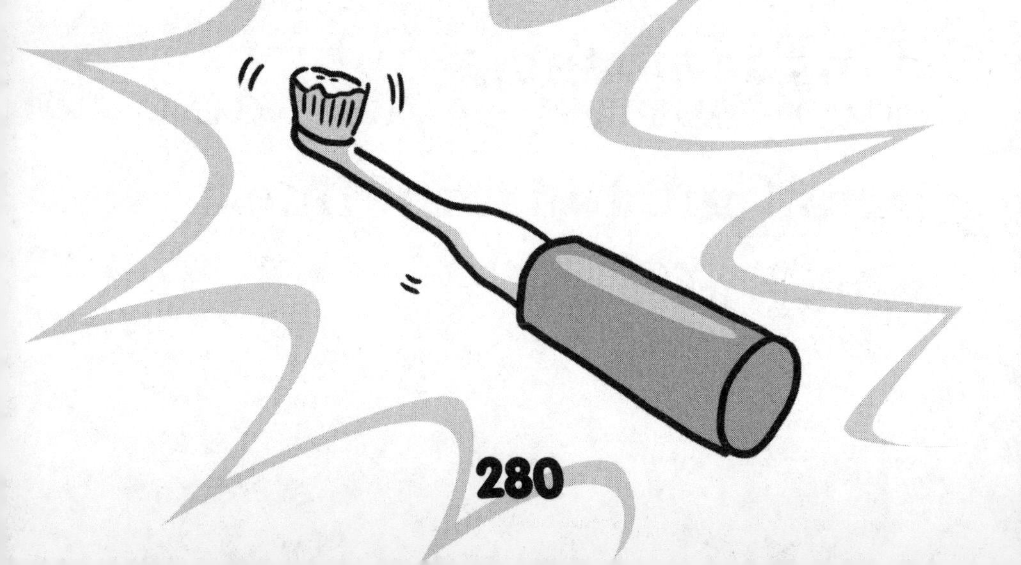

Ainsi, la jeune fille pourra se rendre là où elle le voudra. C'est-à-dire exactement où se trouve la limousine de Maggie Starlette !

Ne faisant ni une ni deux, Lolita installe la brosse à dents à la bonne place et, comme elle l'espérait, le haut du parapluie tourbillonne sans s'arrêter.

Avec agilité, elle manie son nouveau moyen de transport pour s'engager dans les rues voisines de l'hôtel.

Portant une main à son front, elle plisse les yeux pour tenter d'apercevoir la voiture de sa cousine. Cela lui prend un certain temps, car elle ne sait pas du tout où cette dernière a prévu d'emmener Rosalie pour la journée. Au bout de quelques minutes à parcourir les airs avec son parapluie électrique, Lolita finit par apercevoir le long véhicule garé devant un salon de coiffure. Les deux filles en descendent juste à ce moment.

Pourquoi Maggie Starlette a-t-elle conduit Rosalie à cet endroit ? Celle-ci est très bien comme elle est. Elle n'a aucunement besoin de changer de tête ! Lolita soupire de frustration, avant de tenter une technique d'atterrissage. Juste à ce moment, la batterie de sa brosse à dents commence à faiblir et la jeune vedette se retrouve

à planer dans le ciel,
sans aucun moteur !

Lorsqu'elle finit par
poser les pieds au sol,
Lolita se trouve à
au moins vingt minutes
de marche du salon !
À la course, c'est
un peu moins long,
mais à peine. C'est
pourquoi, quand enfin
la jeune fille débouche
devant le salon,

elle n'a qu'une envie,
c'est de se mettre à
hurler de frustration.
Il faut dire qu'elle aurait
parfaitement raison,
car la voiture...
N'EST PLUS LÀ !!!

De plus en plus en colère, Lolita se remet à courir dans la première rue qu'elle voit, dans l'espoir de retrouver la limousine...

Si la jeune fille n'était pas si fâchée et si elle avait pris la peine de se coller le bout du nez contre la vitre du salon de coiffure, elle aurait remarqué que, même si la voiture n'est plus devant la bâtisse, ses occupantes ne sont pas parties pour autant. Au contraire ! Le chauffeur de Maggie Starlette est simplement parti se stationner à l'arrière pour que les fans de la vedette ne viennent pas la déranger.

Rosalie, pour sa part, est sagement assise sur la chaise haute du coiffeur. Une large serviette a été nouée autour de son cou, ce qui l'empêche de se gratter la nuque. Derrière elle, monsieur Clic, coiffeur attitré de Maggie Starlette, ainsi que cette dernière la fixent à travers le miroir. Tous les deux

se demandent bien
quelle coupe lui irait
le mieux…

— Vous savez,
j'adore ma coiffure !
À part couper les
pointes un peu abîmées,
vous n'avez pas besoin
de toucher à mes
cheveux…, tente de
les convaincre Rosalie,
un peu inquiète.

Monsieur Clic
et Maggie Starlette
se jettent un regard
qui en dit long. Puis,
le coiffeur s'exclame :

— Ne t'en fais pas pour ça ! Je m'occupe de tout ! On va rafraîchir un peu ta coupe, ajouter quelques effets de couleur et donner du style à tout ça. Tu vas voir, tu seras MER-VEIL-LEU-SE !

Et dans un claquement de ciseaux bien senti, il se met à raccourcir, amincir et faire bouillir. Oups ! Non, il n'est quand même pas en train de faire une recette ! Apeurée, mais sans pouvoir rien y changer, Rosalie cherche son cellulaire caché sous la serviette. Puis, elle pianote un peu à l'aveuglette pour rejoindre sa « vraie » meilleure amie et lui demander de venir à sa rescousse.

Quoi ?!? Qu'est-ce qui ne va pas ? Ne me dis pas que cette peste de Maggie Starlette est en train de te faire du mal !!!

Eh bien…
du mal,
je ne sais pas,
mais disons
que la paire de ciseaux
vient de passer très près
de mon visage…

Des ciseaux ?!?
Oh là là !
Dis-moi où
tu te trouves,
j'arrive tout de suite !

Voilà,
c'est
un peu ça,
le problème.
Je ne sais pas du tout
où nous sommes. Je ne
connais pas la ville, moi,
et la limousine a fait
des tas de détours avant
d'arriver ici. À croire
que le chauffeur voulait
semer quelqu'un…

Bon, dans ce cas, donne-moi au moins un indice.

Le nom des gens qui sont près de toi, un arbre avec un look étrange. Bref, n'importe quoi !

Euh… l'homme qui se tient derrière moi s'appelle monsieur Clic, je crois.

Monsieur Clic ? Le coiffeur ? Tu es dans son salon ? Encore ?

Comment ça, encore ? Je viens juste d'arriver. Et tu le connais ? Il est gentil, mais je doute que la coupe qu'il est en train de me faire soit une réussite. Je pense qu'il vient de mettre du bleu sur mes pointes. VITE ! VIENS M'AIDER !

Ne t'en fais pas, je suis juste à côté ! Je serai sur place dans deux minutes !

Rosalie referme son cellulaire, un peu rassurée. Mais son moral tombe à plat lorsqu'elle relève les yeux pour apercevoir son reflet dans le miroir. C'est que monsieur Clic

vient de terminer
son travail sur sa tête.
Et le résultat est...

Permettez-moi
de décrire le tout
nouveau style pour
le moins flamboyant
de la jolie Rosalie.
Toutes ses pointes
sont désormais de
couleur bleu ciel.
Une magnifique
frange barre son front

en diagonale.
Jusqu'ici, c'est bien.
Mais ça se gâte au
niveau du sommet
de son crâne, où le
coiffeur a eu la brillante
(ou étrange ?) idée
de couper des mèches
plus courtes et de lui
donner un effet punk !

Rosalie ne se
ressemble plus !
Mais alors, plus

du tout ! Pourtant, Maggie Starlette paraît assez contente, car elle s'exclame :

— Tu es parfaite comme ça ! Désormais, Lolita ne pourra pas dire que sa meilleure amie n'a pas un look à casser la baraque ! Maintenant, il ne manque que tes vêtements à changer.

Allez hop ! On a
encore bien du pain
sur la planche !

Sans plus attendre,
elle tire sur la main
de Rosalie, qui se laisse
guider, trop désemparée
pour réagir. Les filles
sortent par la porte
arrière du salon de
coiffure et reprennent
place dans la limousine.

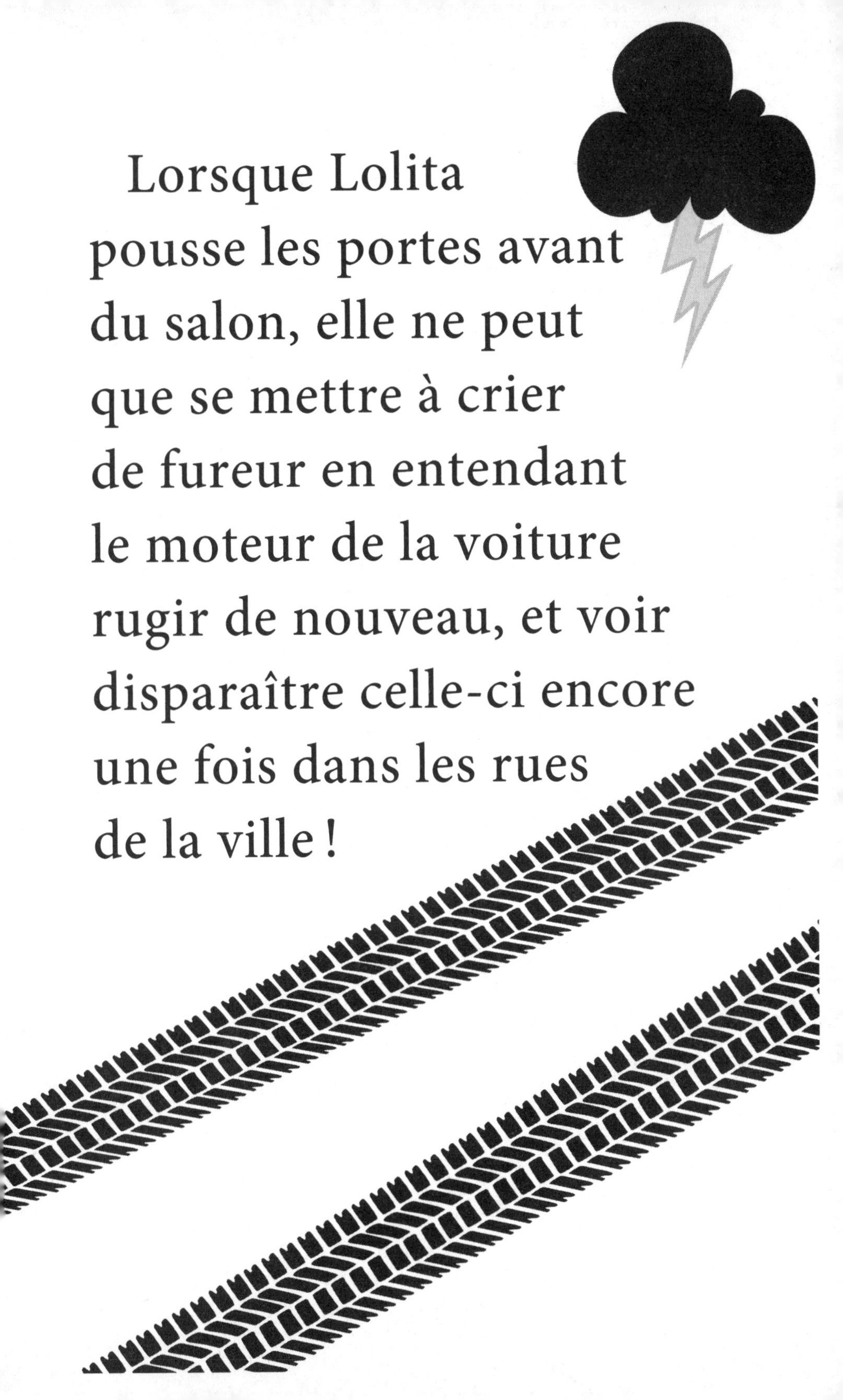

Lorsque Lolita pousse les portes avant du salon, elle ne peut que se mettre à crier de fureur en entendant le moteur de la voiture rugir de nouveau, et voir disparaître celle-ci encore une fois dans les rues de la ville !

Chapitre 10

Razzia dans les boutiques et pizza sur la terrasse !

Un peu
découragée,
Rosalie observe
son reflet à travers
la vitre de la limousine.
Non, ce look, ce n'est
pas elle du tout.
Mais elle aurait bien
besoin de l'avis de
sa meilleure amie.
Tiens, pourquoi
ne pas lui envoyer
un égoportrait
du résultat ?

Tandis que Maggie Starlette se penche vers le chauffeur pour lui indiquer l'endroit où elle veut qu'il se dirige, Rosalie en profite pour se prendre en photo et envoyer le cliché à Lolita. La réponse de celle-ci ne se fait pas attendre. Rosalie se tourne vers la fenêtre pour ne pas être surprise en train de lire ses messages.

Qui a pris le cellulaire de mon amie Rosalie ?! Veuillez le lui rendre immédiatement !

Mais non, Lol, c'est moi ! Je SUIS Rosalie. Mais comme je peux le constater, tu n'apprécies pas ma nouvelle coiffure…

Attends, ÇA, ce sont tes cheveux ? Je croyais que tu portais un chapeau ! Ma pauvre Rosalie… Ma cousine est vraiment sans pitié avec toi !

En plus,
elle est loin
d'avoir
terminé.
Elle veut maintenant
s'occuper de mes
vêtements.

Il est plus que
temps que
je vienne à ta
rescousse. Où
êtes-vous présentement ?

Je ne vois pas bien le nom des rues à cause des vitres teintées de la voiture. Oh, attends, on vient d'arrêter… Ah non, zut, ce n'était qu'un feu rouge.

Bon, mais tiens-moi au courant dès que vous serez à destination. Je vais appeler mon chauffeur pour me rendre rapidement jusqu'à vous.

Ton chauffeur ? Mais comment t'es-tu rendue au centre-ville sans lui ?

Longue histoire. Je te raconterai ça tout à l'heure.

OK, je te laisse, Maggie Starlette commence à se demander ce que je fabrique. Je t'écris dès que je le peux.

La jeune fille range son appareil et se tourne en souriant vers celle qui est assise à ses côtés dans la limousine. Mais la cousine de Lolita n'est pas dupe et lui demande avec un air sarcastique :

— Et puis, Loli va bien ?

— Hein ? Euh… quoi ? bafouille Rosalie.

Oups !

— Ne joue pas les innocentes. Je sais que tu étais en train d'écrire à ma cousine ! Elle nous suit depuis tout à l'heure, mais mon chauffeur est très habile pour semer les indésirables.

— Comment pourrait-elle nous suivre, elle est à pied !

— Loli a des tas de ressources, ne t'en fais pas pour elle. Concentre-toi plutôt sur ta métamorphose d'un jour. J'ai un joli chapeau pour toi dans le coffre de la limousine. Je te l'offrirai quand nous en sortirons.

Que dirais-tu de
te donner un look
un peu plus « motard » ?

— Bah, moi, les motos,
tu sais…

— D’accord, alors
un style glamour ?
Avec une robe rouge
et des talons hyyyyper
hauts ? suggère Maggie
Starlette.

Mais Rosalie fait la grimace et réplique :

— Je ne pourrais même pas marcher avec ça. En plus, moi, les hauteurs, je déteste !

— Ce que tu peux être difficile ! Qu'est-ce que Loli te trouve, au juste ?! s'écrie la vedette avec impatience.

Ces derniers mots jettent Rosalie dans une réflexion troublante. En effet, pourquoi Lolita est-elle amie avec elle ? Elles n'ont absolument rien en commun. Elles ne viennent pas du même monde et, surtout, Lolita est uuuultra riche, alors que Rosalie n'a pas un sou... Leur amitié durera-t-elle encore longtemps, ou est-ce que Rosalie ferait mieux de se faire une raison ? Dès que le film qu'elles sont en train de tourner sera terminé, la jeune vedette ne reviendra sûrement pas dans sa petite ville. Elle restera à Hollywood pour en faire la promotion.

Et les deux meilleures amies seront séparées...

Rosalie serre les paupières pour ne pas laisser échapper ses larmes. Elle ne veut pas perdre son amie, mais elle sait que cela risque d'arriver. Il est hors de question de mettre

des bâtons dans
les roues de Lolita et
de l'obliger à suspendre
sa carrière au nom
de leur amitié.
Elle baisse alors la tête
et marmonne :

— Je ne sais pas…
Mais je crois que tu as
raison. Elle serait mieux
avec une fille comme
toi, qui partage la même
passion pour le cinéma.

— Euh… oui, c'est sûr que… Nous devrions être amies, mais… Elle est si compétitive. En plus, tout le monde croit qu'elle est la septième merveille du monde ! Alors que je suis clairement aussi bonne qu'elle ! C'est trop injuste !

— C'est vrai que tu es une excellente actrice. Je t'ai vue jouer hier et tu étais géniale. Mais Lol aussi. En fait, vous l'êtes autant l'une que l'autre. Ce n'est que moi qui détonne…

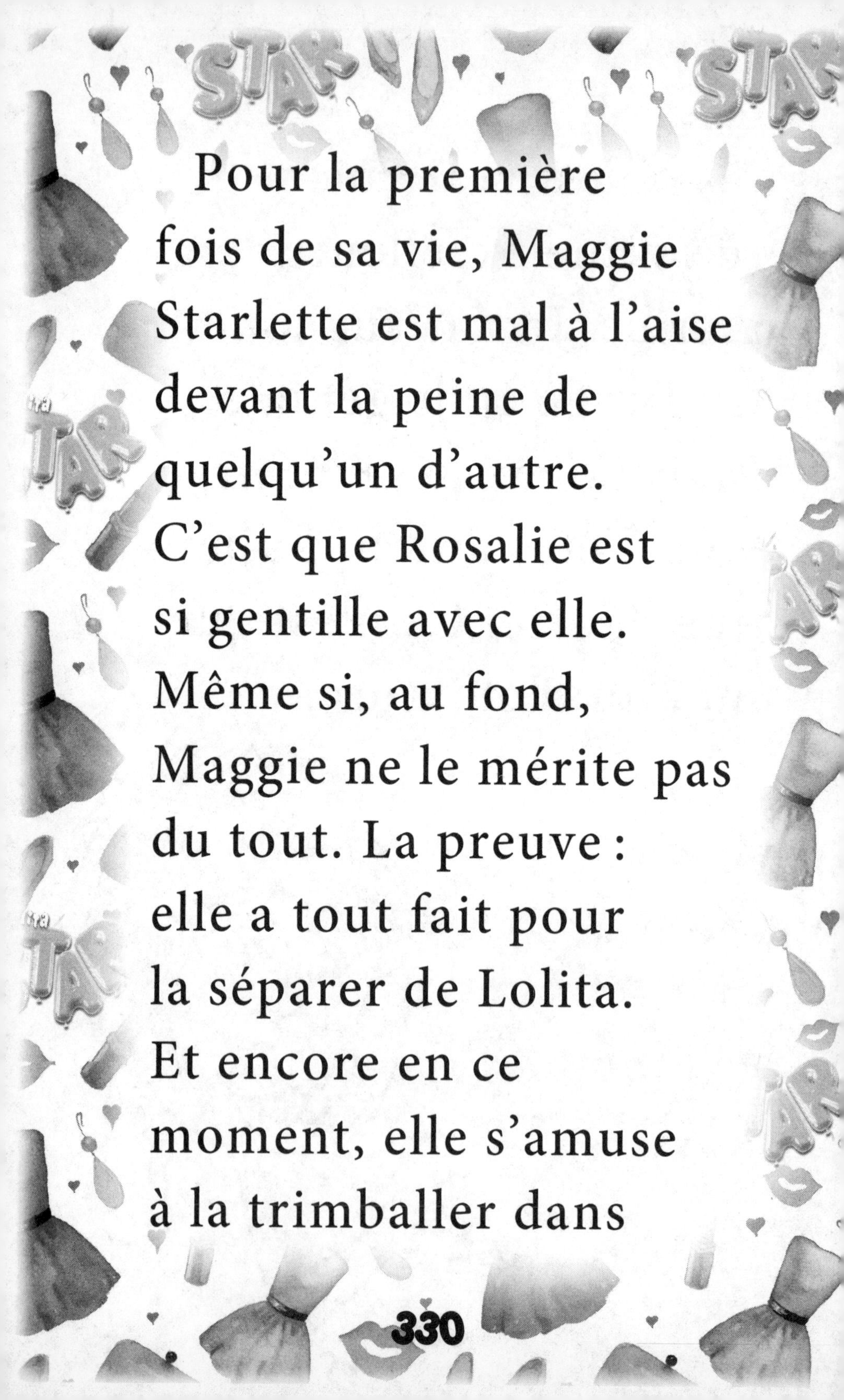

Pour la première fois de sa vie, Maggie Starlette est mal à l'aise devant la peine de quelqu'un d'autre. C'est que Rosalie est si gentille avec elle. Même si, au fond, Maggie ne le mérite pas du tout. La preuve : elle a tout fait pour la séparer de Lolita. Et encore en ce moment, elle s'amuse à la trimballer dans

les boutiques dans
le seul but de faire
enrager sa cousine.
En fin de compte,
Maggie Starlette
comprend très bien
pourquoi cette dernière
est l'amie de Rosalie.
Celle-ci est adorable.
Elle ne parle jamais
contre personne et
elle veut que tout
le monde soit heureux.

Inspirée par la jeune fille, elle décide donc de faire une bonne action. Pendant que Rosalie a toujours les yeux baissés, Maggie Starlette fouille à son tour dans son sac à main à la recherche de son cellulaire. Il est temps d'envoyer un petit message à sa cousine...

Loli, ça te dirait de te joindre à nous pour une vraie de vraie razzia dans les boutiques ? Je me souviens comme tu aimais faire ça, quand nous étions plus jeunes.

Est-ce que c'est un piège ?

Pas du tout ! Viens nous rejoindre à la pizzeria des « Cent Fromages ». Promis, je te réserve une tranche. Je sais à quel point tu adoooores la pizza au fromage bleu et au saumon. (BEURK !)

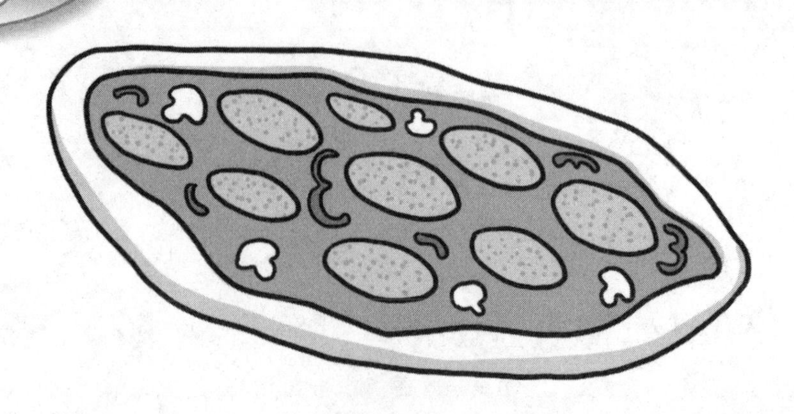

D'accord… mais tu es bizarre, toi. Rassure-moi, Rosalie va bien ? Tu ne lui as rien fait ?

Fais-moi donc confiance, un peu ! Et ta meilleure amie… elle est géniale. Tu es très chanceuse…

Je le sais. 

Je te laisse, Rosalie vient de me demander de lui passer une boîte de mouchoirs. À tantôt !

Une boîte de mouchoirs ??? Comment ça, une boîte de mouchoirs ? Elle pleure ? QU'EST-CE QUE TU AS FAIT À MON AMIE ?!? GRRR !!!

Mais Lolita ne reçoit aucune réponse de la part de sa cousine, puisque Maggie Starlette vient de fermer son cellulaire et de le lancer dans le fond de son sac. Puis, elle donne la boîte de mouchoirs à Rosalie avant de lui souffler :

— J'ai une petite surprise pour toi. Et cette fois, tu ne seras pas déçue, c'est promis !

chapitre 11

Enfin, la réconciliation !

La limousine freine brusquement et Maggie Starlette attrape la main de Rosalie pour la faire descendre à sa suite. Après avoir récupéré le chapeau qu'elle voulait lui offrir, elle lui enfonce sur la tête, puis tente d'entraîner la jeune fille dans le restaurant devant lequel elles se trouvent. Mais celle-ci ne se laisse pas faire.

Elle est figée sur place,
le visage relevé vers
l'enseigne de la bâtisse.
Il faut dire que le tout
est plutôt inhabituel...

Juste au-dessus
de Rosalie et Maggie
Starlette se trouve
une IMMENSE pizza
ultra pepperoni et triple
fromage. Sauf que cette
pizza ne se mange pas.
Elle est en plastique !

Malgré tout, elle est pour le moins impressionnante !

— Ce n'est pas une vraie ! Allez, viens, la surprise nous attend sur la terrasse, s'impatiente Maggie Starlette, en se postant dans le dos de Rosalie pour la forcer à avancer.

Cette dernière finit par lâcher de vue la fausse pizza et entre dans le restaurant. Maggie fait alors signe au serveur de leur apporter de grands verres de limonade bien froide, qu'elles prendront à l'extérieur. Et juste avant de se diriger vers les tables installées sous de larges parasols, la vedette jette un œil à son cellulaire et sourit.

— Parfait, elle est arrivée…

— Qui ça ? demande Rosalie.

— Ta surprise ! s'écrie Maggie Starlette en pointant Lolita du doigt.

Celle-ci leur fait de grands signes de la main pour les inviter à venir la rejoindre, ce que les filles font aussitôt.

— Mais qu'est-ce que tu fais là ? s'exclame Rosalie, bouche bée. Je croyais que tu ne savais pas où je me trouvais ?

— Je ne le savais pas, non plus. C’est ma cousine qui m’a envoyé un message pour me donner un lieu de rendez-vous.

Étonnée, Rosalie se tourne vers Maggie, dont les joues ont viré au rouge. Elle bafouille, pour une rare fois gênée d'être ainsi le centre de l'attention.

— C'est que je... Ouais, euh... En tout cas... Il fallait bien que... Bref, vous êtes les meilleures amies du monde, je ne pouvais pas vous séparer indéfiniment !

— Oh, merci ! s'écrie Rosalie en sautant dans les bras de la jeune fille, qui n'a plus seulement les joues rouges, cette fois, mais tout le visage !

Le serveur arrive alors avec un plateau de limonade, ce qui incite les nouvelles venues à s'asseoir. Cette fois, face à Lolita, Maggie ne peut plus se défiler. Elle prend donc une profonde inspiration avant de lancer :

— Je t'ai toujours trouvée extraordinaire sur les plateaux de tournage et dans tes films. Tu es si bonne… C'est difficile de rivaliser avec toi, tu sais.

— Merci, mais... malgré ce que tu peux croire, je ne suis pas en compétition avec toi. Ce sont surtout mes parents qui voulaient que je devienne actrice. Je suis désolée si je t'ai fait ombrage, ce n'était pas mon intention, s'excuse Lolita.

— Vraiment ? Pourtant, j'ai toujours cru que tu aimais être la meilleure et passer devant les autres.

— Lolita n'est pas comme ça, intervient Rosalie, qui n'aime pas voir son amie se faire rabaisser. Elle est hyper généreuse et elle veut toujours faire plaisir

aux autres. Tu ne
la connais pas bien
si c'est ce que
tu penses d'elle !

— Ben, en fait,
c'est vrai que tu étais
une super bonne amie
quand nous étions
toutes petites et que
nous jouions ensemble,
avoue Maggie. Mais
depuis que tu fais du
cinéma, on se voit

moins, et chaque fois que je rencontre Réal Glorieux, le réalisateur de nos films, il ne fait que critiquer ta façon d'être. Il dit que tu joues à la vedette.

À ces mots, Lolita manque de s'étouffer avec sa limonade. Elle en crache une bonne partie dans le visage de Rosalie, qui doit ensuite s'essuyer avec la nappe. Lolita ne s'en préoccupe pas, trop irritée par ce qu'elle vient d'entendre.

— Comment ça, je joue les vedettes ?! C'est faux ! Ah, ce réalisateur à la noix ! La prochaine fois que je vais le croiser, il va m'entendre ! Il passe son temps à hurler après tout le monde, sur le plateau, et il n'apprécie pas le travail des acteurs. Je ne comprends pas pourquoi personne n'a songé à le renvoyer !

— Ben... on se retrouverait sans réalisateur. Et il fait vraiment de très bons films.

— Peut-être, mais ça ne justifie pas son mauvais caractère ! conclut Lolita.

Rosalie en profite alors pour demander :

— Parlant du tournage, savez-vous quelle est la prochaine cascade que je devrai effectuer ? Pas que ça m'inquiète, mais...

Aussitôt, Lolita se dépêche de la rassurer :

— Ne t'en fais pas. Selon le scénario, c'est tout simple. Je crois que tu dois passer à travers les flammes d'un incendie.

— QUOI ?!? Mais je vais brûler vive !!!

Maggie Starlette se met à rigoler devant l'expression catastrophée de Rosalie. Sa cousine lui lance un regard d'avertissement, puis se concentre sur sa meilleure amie.

— Pas du tout. Tu porteras une combinaison à l'épreuve du feu. En quelques minutes, tout sera terminé. En plus, c'est un petit feu de rien du tout, je t'assure. Les flammes ne dépasseront pas tes mollets. Promis.

Pour se rattraper, Maggie propose alors :

— Et si Réal Glorieux a prévu de faire le tournage de cette scène demain, on sera là pour t'appuyer, Loli et moi.

Rosalie prend une bonne inspiration en songeant que, si elle veut réellement devenir cascadeuse, il serait

temps qu'elle cesse de
se reposer sur les autres.
Elle bombe alors le torse
et réplique, en balayant
l'air d'une main, comme
elle a vu si souvent
Lolita le faire :

— Bah, pas besoin.
Comme vous le dites,
ça devrait très bien
aller. Je peux le faire
toute seule. C'est beau.

Au même moment, elle sent une vibration dans sa poche. Elle se dépêche de sortir son cellulaire pour y lire le message qui vient de rentrer. Peut-être que c'est son père qui veut avoir des nouvelles ? Après tout, ça fait quand même quelques jours qu'elle est partie de la maison...

Toutefois, les yeux de Rosalie s'écarquillent alors qu'elle lit le texto. Il ne s'agit pas du tout de son père...

Changement de plan ! Le tournage de la cascade commence dans dix minutes. Ne sois pas en retard !

— Qui c'était ?
demande Lolita,
surprise de voir
le visage de son amie
changer de couleur.

La gorge sèche,
Rosalie relève la tête
et fixe les deux cousines.
Puis, elle murmure,
la voix rauque :

— Le tournage commence dans dix minutes. Maggie, penses-tu que ton chauffeur pourrait m'y amener en vitesse ?

— Bien sûr. Mais on t'accompagne !

— NON ! Non... comme je vous l'ai dit, je suis capable de me débrouiller. Restez ici et finissez vos limonades. En plus, je pense que vous avez du temps à rattraper... Je vous raconte tout ce soir, décide-t-elle en repoussant sa chaise.

Puis, après un dernier salut, Rosalie tourne les talons et s'éloigne de ses amies. Le cœur un tout petit peu serré…

Chapitre 12

Problème sur le plateau

Lorsque Rosalie descend de la limousine, elle a les mains tremblantes et le souffle court. Mais elle reprend vite courage et va rejoindre le reste de l'équipe de tournage, déjà sur place. Elle est la dernière à arriver et, évidemment, Réal Glorieux lui en fait aussitôt le reproche.

— Quand je dis « dix minutes », on ne se pointe pas UNE minute en retard, jeune fille ! PERSONNE n’arrive en retard sur MON plateau, c’est clair ?!

— Euh… c’est que…

— Je ne veux pas entendre tes explications. Tiens, enfile la tenue à l’épreuve du feu. Vite, on vient d’activer le brasier !

— Le brasier ?

Le réalisateur ne prend pas la peine de lui répondre, mais pointe plutôt l'énorme, le gigantesque, l'éléphantesque, bref, le vraiment BIG feu qui vient d'être allumé en plein centre de la route. Ce n'est pas du tout un petit feu, comme l'avait dit Lolita ! Effrayée, Rosalie colle sa tenue contre sa poitrine en bégayant.

— Je… je ne… ne peux pas… pas faire ça ! Il est trop… trop… trop GROS !

— Tu es une cascadeuse, oui ou non ? gronde Réal Glorieux, en colère.

— C'est-à-dire que…

— Dans ce cas, cesse de pleurnicher

et prépare-toi. On filme dans cinq minutes !

Intimidée par la voix et l'attitude du réalisateur, Rosalie revêt sa tenue, puis elle se dirige vers le feu. Le visage blême, les yeux ronds, la jeune fille sent la chaleur la recouvrir. Comment va-t-elle réussir cet exploit ?

Les maquilleuses lui foncent dessus. On lui retire le joli chapeau qu'elle a oublié d'enlever. La voix de Réal Glorieux retentit alors derrière elle. Elle se tourne pour savoir ce qu'il lui veut encore. Celui-ci rugit en pointant sa toute nouvelle coiffure. Oups, elle l'avait quasiment oubliée, celle-là !

— MAIS QU'EST-CE QUE TU AS FAIT À TES CHEVEUX ??? Tu ne ressembles plus du tout à Lolita Star ! Comment pourrais-tu lui servir de doublure dans ce cas ? Quelle idée d'aller chez le coiffeur en plein tournage !

— Euh… en fait, c'est Maggie qui…

— Je ne veux pas le savoir ! Tu es RENVOYÉE ! Quitte ce plateau tout de suite ! Et qu'on aille me chercher Lolita Star ! Je vais avoir besoin d'elle ! TOUT DE SUITE !!!

Le réalisateur continue de hurler de rage tandis que Rosalie, soulagée de ne pas avoir à tourner la scène, se précipite vers la limousine. Mais celle-ci n'est plus dans le stationnement !
Le chauffeur doit être parti chercher Maggie Starlette. Et Rosalie se retrouve toute seule...

Lolita pourra sûrement l'aider. Elle lui écrit aussitôt un texto.

Aucune réponse ne lui parvient... Même Lolita l'abandonne. Les yeux remplis de larmes, Rosalie se décide à appeler un taxi. Et à demander à celui-ci de l'amener à l'aéroport. Elle doit retourner chez elle, puisqu'elle n'a plus sa place ici. Elle n'aurait jamais cru que sa meilleure amie refuserait de lui parler. Mais le cinéma

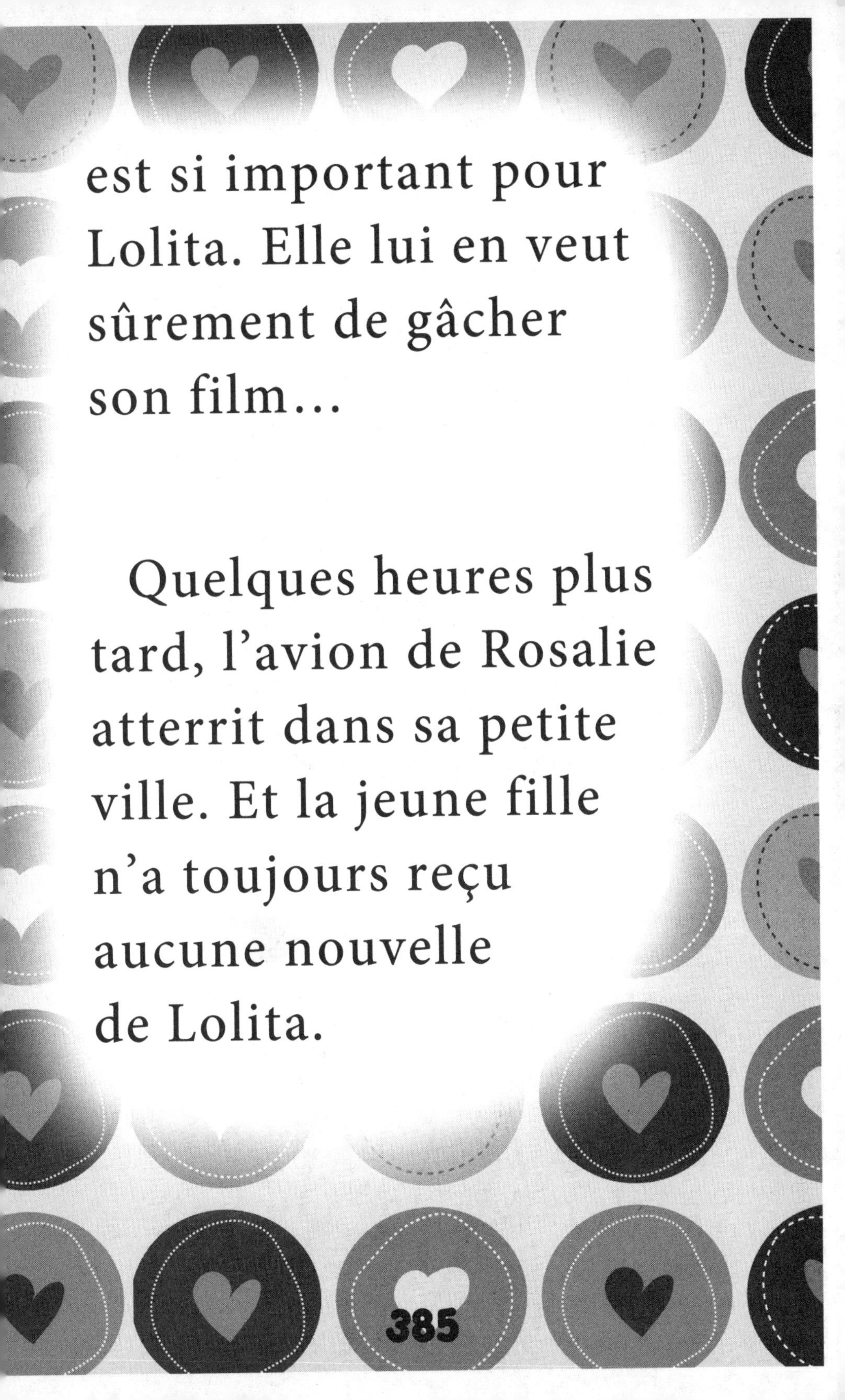

est si important pour Lolita. Elle lui en veut sûrement de gâcher son film…

Quelques heures plus tard, l'avion de Rosalie atterrit dans sa petite ville. Et la jeune fille n'a toujours reçu aucune nouvelle de Lolita.

Est-ce la fin
de leur amitié... ?

épilogue

Le nez collé contre
la vitre du salon,
Rosalie fixe le champ
de fleurs qui avoisine
sa maison. Exactement
où se tenait encore
hier l'énorme,
le gigantesque,
l'éléphantesque,
bref, le vraiment **BIG**
manoir de Lolita Star.
Mais à sa place,
il ne reste que l'ancien
champ de fleurs
de Rosalie...

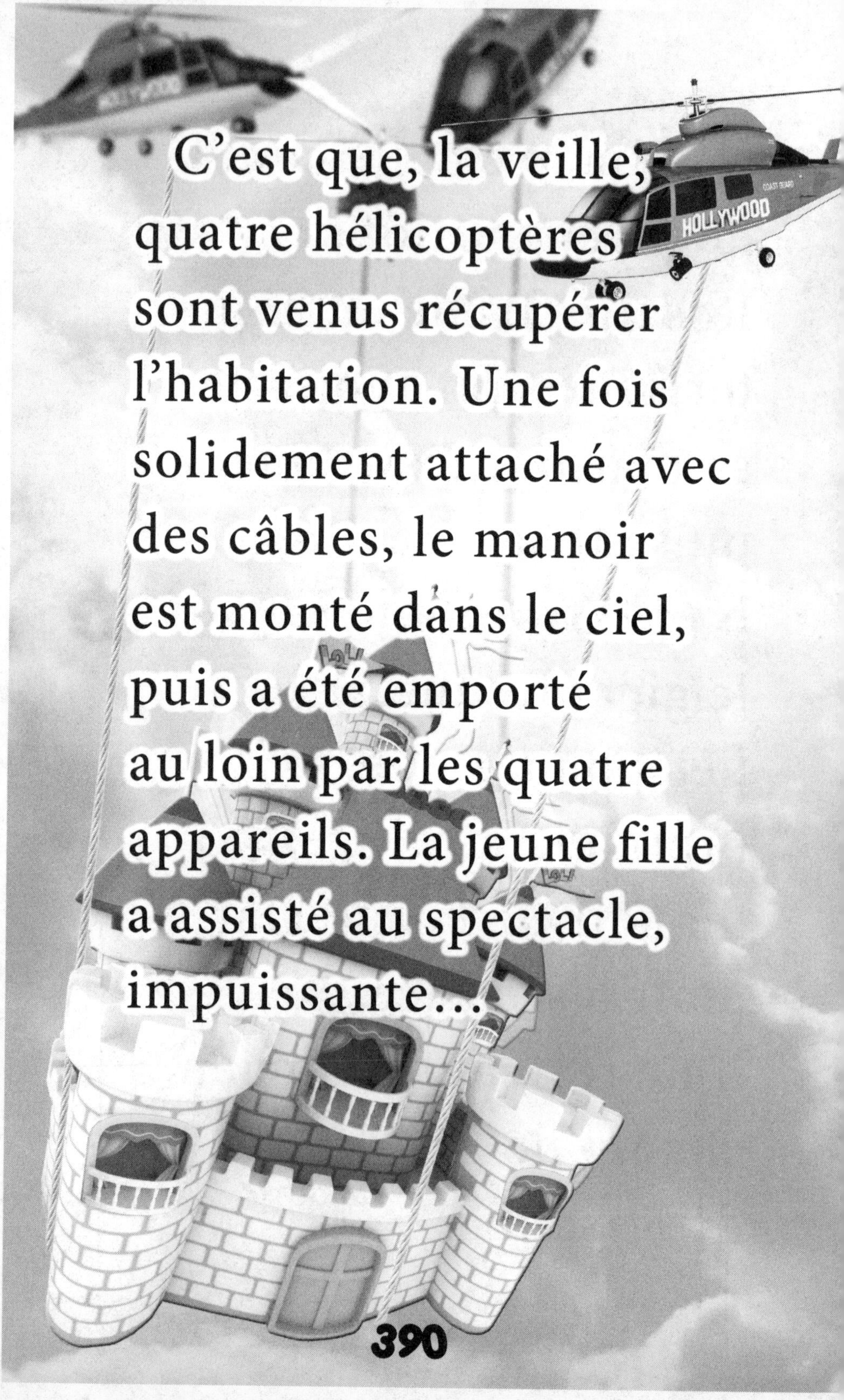

C'est que, la veille, quatre hélicoptères sont venus récupérer l'habitation. Une fois solidement attaché avec des câbles, le manoir est monté dans le ciel, puis a été emporté au loin par les quatre appareils. La jeune fille a assisté au spectacle, impuissante...

Voilà, c'était la preuve que son amitié avec Lolita était bel et bien terminée. Et que cette dernière ne reviendrait plus jamais dans sa ville. Ne lui téléphonera plus jamais. Ne lui parlera plus jamais. Ne lui dira plus qu'elle est sa meilleure amie… pour la vie.

Une larme coule sur la joue de Rosalie, mais elle l'essuie bien vite. Elle a de l'école, ce matin, et elle ne doit pas être en retard. Dans son dos, monsieur Sans-le-sou, son père, la presse justement de revenir s'asseoir à table afin de terminer son gruau. Lui aussi doit partir travailler. Il a été réengagé à l'usine de trous de beignes

de la ville et il
commence bientôt.

Évidemment,
Rosalie n'a pas faim.
Elle se contente donc
de ramasser son bol et
de le mettre dans l'évier.
Ensuite, elle enfile ses
vieilles bottines trouées,
ajuste ses lunettes à
demi brisées, puis tend
la main vers la poignée
de la porte. Son père,

qui n'aime pas voir
sa fille dans cet état,
la retient un instant,
en murmurant :

— Elle finira bien
par te donner de
ses nouvelles.

— Ça, ça m'étonnerait, souffle Rosalie, la tête basse.

— Son tournage, il se termine quand ? reprend-il.

Rosalie hausse les épaules. Cela pourrait prendre des semaines. Malgré tout, si Lolita avait voulu lui reparler, pour lui démontrer qu'elle ne lui en voulait pas pour son renvoi et son départ précipité, elle l'aurait déjà fait, non ?

Sans rien ajouter, la jeune fille sort de la maison et s'engage sur le chemin de l'école.

Et comme elle habite dans le coin le plus pauvre de la ville, elle doit marcher une bonne heure pour s'y rendre. Lorsqu'elle débouche enfin dans la cour, elle a chaud et est passablement fatiguée. Mais ce n'est pas le temps de faire une pause, la cloche vient de sonner et Rosalie doit rejoindre le reste de sa classe.

Enfin, elle se laisse choir sur sa chaise, pose les bras sur son pupitre où sa tête retombe, épuisée. Encore une looooongue journée qui s'annonce.

Du moins, c'est ce que croit la jeune fille…

Car, lorsque son professeur, monsieur Lalumière, commence à prendre les présences, un détail lui fait dresser l'oreille. Intriguée, la jeune fille relève la tête et fronce les sourcils… Il faut dire que le nom que l'enseignant vient de mentionner lui rappelle étrangement quelqu'un. Sans compter que cette élève ne fait normalement pas partie de leur groupe.

Comme personne ne répond à monsieur Lalumière, il se voit forcé de répéter :

— Laurie Tremblay ! Est-ce que Laurie Tremblay est ici ?

Lentement, Rosalie
se tourne, à la recherche
de… OUI ! Elle est là,
assise sagement au
bureau derrière elle :
LOLITA STAR !
Elle est revenue !
Et elle ne semble pas
savoir qu'elle doit lever
la main pour signaler
sa présence, car elle
ne fait que sourire
poliment à l'enseignant,
qui est de plus en plus
énervé.

— OÙ EST LAURIE TREMBLAY ???

Vite, Rosalie doit venir en aide à son amie ! Elle fouille dans sa poche et saisit son cellulaire pour envoyer un message, les mains cachées sous son pupitre.

Lol ? Tu dois lever la main quand le prof dit ton nom !

Oups ! C'est vrai ! Il faut dire que je n'ai pas l'habitude d'utiliser mon « vrai » prénom… Bon, je lève la main.

De mon côté, j'ai aussi une petite question : MAIS QU'EST-CE QUE TU FAIS LÀ ???

Ah, c'est une longue histoire... Mais en gros, après ton départ, j'ai renvoyé le réalisateur.

Il n'a jamais été très patient et il criait après tout le monde. Nous étions tous soulagés qu'il s'en aille. Après ça, nous avons fait le point, car nous n'étions pas certains de vouloir vraiment terminer ce film. Comme personne ne trouvait le scénario génial, nous avons décidé de tout arrêter.

Dans ce cas, pourquoi tu ne m'as pas répondu, appelée ou écrit pour me le dire ?!

J'avais perdu mon cellulaire au restaurant !

En plus, je n'ai pas eu une minute à moi. Je voulais voir mes parents afin de leur faire part de ma décision. Et ils étaient injoignables, car ils tournaient un film en Chine. J'ai dû leur courir après dans divers pays pour finalement leur mettre la main au collet au Pérou. Bref, ils ont pris la nouvelle plutôt bien, en fin de compte.

Quelle nouvelle ?

Ah, c'est vrai, tu n'es pas au courant ! J'ai décidé… d'arrêter le métier d'actrice !

Je cède toute la place à ma cousine, qui aime ça bien plus que moi. C'est pour ça que j'ai repris mon nom et que je suis venue te rejoindre ici !

Mais… et le manoir ? Pourquoi il a disparu ?

Tout simplement parce que je commençais à le trouver un peu petit. Aujourd'hui, des pilotes d'hélicoptère doivent venir m'en livrer un BEAUCOUP plus gros ! J'ai hâte de te le faire visiter ! Et ton père pourra revenir y travailler s'il le veut !

Wow, c'est complètement fou… Je peux te demander une dernière chose ?

Bien sûr ! Tu es ma meilleure amie, tu peux TOUT me demander !

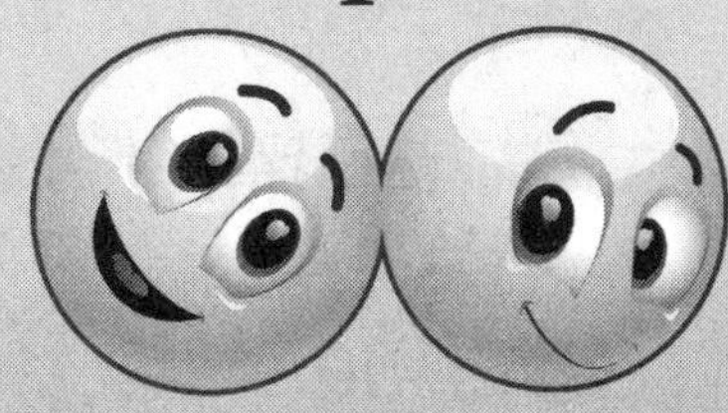

Eh bien…
je me demande
juste si
tu ne vas pas
t'ennuyer du métier
d'actrice, de ta popularité
et du fait d'être sur
la scène… ?

Ne t'en fais pas
pour ça !

J'ai peut-être décidé de ne plus tourner de films, mais ça ne veut pas dire que je ne vais plus jamais monter sur une scène. D'ailleurs, j'ai oublié de te dire que, pendant mon absence, j'ai aussi écrit plusieurs chansons que mon équipe et moi avons enregistrées. Attache ta tuque, ma chère Rosalie, parce que je suis devenue CHANTEUSE !

Tu es sérieuse ?!?

Absolument ! Et j'ai même un nom de scène, tu veux le connaître ?

Euh…
pas sûre…
Mais dis-le
toujours…

Tu peux
m'appeler…
LADY
STELLA !!!

Voici la FIN
des aventures de
Lolita Star,

mais celles
de LADY STELLA
ne font que
commencer...